ZILLIS

LUMIÈRES
DE VÉZELAY

CLARTÉS DE
SAINT-BENOÎT
SUR-LOIRE

la voie lactée 3

Page précédente : Sceau de l'abbaye, XIIᵉ siècle.

Anne-Marie PÊCHEUR

Photographies Zodiaque
et Germain Plouvier

CLARTÉS DE SAINT-BENOÎT SUR-LOIRE

la voie lactée
ZODIAQVE
MCMXCVII
2ᵉ édition

© 1997 Zodiaque. Tous droits réservés.

Introduction 7

HISTOIRE DU MONASTÈRE DE SAINT-BENOÎT-SUR-LOIRE

I. Les origines et le développement de l'abbaye 9

- La fondation du monastère de Fleury
  et la translation des reliques de saint Benoît 9
- L'abbaye avant l'an mil 9
- L'an mil : l'apogée de l'abbaye 10
- Une expansion ralentie 14

II. Les temps difficiles 19

- La guerre de Cent ans 19
- Le XVIe siècle : la commende et les guerres de religion 19
- La réforme mauriste 20
- La Révolution 24

III. La renaissance de l'abbaye 25

- Le sauvetage de l'église abbatiale 25
- Le renouveau monastique 25

L'ÉGLISE ABBATIALE SAINTE-MARIE

I. La tour-porche de l'abbé Gauzlin 29

1. L'architecture de la tour-porche : un parti ambitieux 29
- Le rez-de-chaussée de la tour-porche 29
- L'étage de la tour-porche 33

2. La fonction de la tour-porche 34
3. Les problèmes archéologiques 36
4. La sculpture de la tour-porche 39
- Les chapiteaux du rez-de-chaussée 39
- Les reliefs de la face nord 56
- Les chapiteaux de l'étage 59
- La datation des chapiteaux de la tour-porche 63

II. Le chevet et le transept : la campagne de l'abbé Guillaume — 65

1. Un chevet reliquaire — 65
- Les restaurations du sanctuaire — 72
- Le dallage du sanctuaire — 73
- Le transept — 74
- La crypte de l'abbé Guillaume — 75
- La crypte Saint-Mommole — 76

2. La sculpture du chevet et du transept — 77
- Les chapiteaux de la croisée du transept — 77
- Les chapiteaux du chevet et des chapelles du bras nord du transept : — 84
  - Les chapiteaux ornementaux — 84
  - Les chapiteaux historiés — 87
    - Les chapiteaux de la chute et du sacrifice d'Abraham — 88
    - Les chapiteaux du Maître des miracles de saint Benoît : — 90
      . Les miracles de saint Benoît — 90
      . Le Christ bénissant et Daniel — 95
      . L'arcature aveugle du chœur — 96
      . L'identité du Maître des miracles de saint-Benoît — 104
- Le déroulement des travaux — 106
- La diffusion de la sculpture du chevet et du transept — 107

III. La nef de l'abbé Macaire — 109

1. Une nef de transition entre art roman et art gothique — 109
2. Le décor sculpté — 114
- Les chapiteaux — 114
- Le portail nord — 121

IV. Le mobilier et le trésor de l'abbaye — 137
- Le mobilier de l'église — 137
- La châsse de Mumma — 138
- Le Christ enseignant — 140
- Une crosse abbatiale — 140

Épilogue — 142
Bibliographie — 143

Il y eut un homme béni de grâce et de nom. Il s'appelait Benoît; dès son enfance, son cœur fut celui d'un ancien, lui qui passant outre son âge en sa manière de vivre, ne livra son âme à nulle volupté. Dédaignant l'étude des lettres, quittant la demeure et les biens de son père, à Dieu seul il voulut plaire; savant sans lettres, ignorant conduit par la sagesse, il se retira au désert, dans la solitude...

Seul, dans sa solitude bien-aimée, Benoît habita avec lui-même, toujours attentif à veiller sur soi, se tenant constamment en présence de son Créateur, s'examinant sans cesse, et ne laissant pas errer au dehors le regard de son âme.

(*Dialogues de saint Grégoire*, II, 1-3)

Entre Orléans et Gien, Saint-Benoît-sur-Loire est une petite commune située à environ un kilomètre du fleuve. Bâti sur la rive même, un hameau pittoresque de vieilles maisons, qu'on appelle «le Port», a dû connaître une intense activité au temps où le fleuve était utilisé pour transporter hommes et marchandises de ville en ville.

Le pays est, ici, l'œuvre du fleuve, l'œuvre de la Loire qui féconde la terre et la gratifie d'un climat doux. Entre les bois marécageux de la Sologne et la forêt d'Orléans, cette région fertile fut nommée dès le début du XIe siècle *Vallis aurea*, le Val d'or. L'homme a très tôt été attiré par le Val d'or, et il s'est installé sur de petites buttes de sable, suffisamment élevées au-dessus du niveau de la plaine pour n'être pas recouvertes par les crues du fleuve. C'est sur ces buttes que s'établirent le village de Fleury, le monastère de Saint-Benoît et la villa de Germigny.

L'occupation humaine est attestée dès la période néolithique; un outillage important a été trouvé à Bonnée et sur le site actuel de la basilique de Fleury. Un passage de César laisse penser que dans cette région, peut-être à Fleury même, se trouvait le lieu sacré, au centre de la Gaule, où chaque année se réunissaient les druides. Durant l'époque gallo-romaine, de grands domaines se sont implantés dans le Val d'or, laissant leur nom aux villages actuels, Germigny, Fleury, etc. À Bonnée, on a retrouvé les ruines d'un amphithéâtre, et à Bouzy, celles d'un théâtre. La route de Bonnée est l'ancienne voie romaine et l'ancienne route royale de la Bourgogne à Orléans.

Au milieu du VIIe siècle, des moines sont venus dans le Val d'or, depuis la ville toute proche d'Orléans, et ils se sont installés à Fleury...

Abbaye de Fleury.
Contre-sceau
(fin XIIe siècle).

Histoire du monastère de Saint-Benoît-sur-Loire

1. les origines de l'abbaye et son développement

 La fondation du monastère de Fleury et la translation des reliques de saint Benoît

L'abbaye fut fondée à l'époque mérovingienne par un personnage nommé Léodebod, sous le règne de Clovis II (639-657) et de la reine Bathilde. Le fondateur, abbé de Saint-Aignan d'Orléans, possédait un grand domaine à Attigny-sur-Aisne en Austrasie qu'il échangea avec Clovis II contre celui de Fleury afin d'y établir un monastère dédié à saint Pierre. Avant cet acte, un certain Jean aurait fondé à Fleury une *basilica* dédiée à la Vierge Marie, qualifiée au XIe siècle par le moine Helgaud de *monasterium*. Dans sa copie du XIe siècle, la seule qui nous soit parvenue, le *testamentum* de l'abbé Léodebod se présente comme un document complexe, composé de plusieurs pièces antérieures qu'il évoque ou qu'il résume. Il contient, en effet, une série de donations faites par Léodebod au monastère Saint-Aignan d'Orléans, à la basilique Sainte-Marie de Fleury et au monastère Saint-Pierre de Fleury qu'il doit construire. En dépit de ces imprécisions, les moines y reconnurent l'acte de fondation du monastère Saint-Pierre-de-Fleury. Le *testamentum* daterait de la douzième année du règne de Clovis II, soit le 27 juin 650.

Le texte précise que les religieux suivront la règle de saint Benoît et de saint Colomban, règle mixte observée alors dans la plupart des monastères. Particulièrement austère et rigoureuse, la règle de saint Colomban devait, dans le cours du VIIIe siècle, céder la place à la règle bénédictine plus souple et plus adaptée à la vie quotidienne d'une communauté monastique.

Un grand évènement allait transformer la destinée de ce jeune monastère et orienter sa vie spirituelle : la translation des reliques de saint Benoît du monastère du Mont-Cassin à Fleury.

Saint Benoît, l'un des fondateurs du monachisme occidental, mort après 547 au Mont-Cassin dans le monastère qu'il avait fondé, fut inhumé aux côtés de sa sœur, sainte Scholastique, dans l'oratoire Saint-Jean-Baptiste, au sommet de la montagne. Lors de l'invasion lombarde en Italie, en 577, le monastère du Mont-Cassin fut anéanti et la dévotion aux deux saints délaissée. C'est pourquoi, vers 672, les religieux du monastère de Fleury, alors dirigé par l'abbé Mummolus, décidèrent de rapporter du Mont-Cassin les reliques du saint et de sa sœur. Les chanoines de la cathédrale du Mans prirent également part à l'expédition. Au retour d'Italie, les Manceaux revendiquèrent le corps de sainte Scholastique tandis que les insignes reliques de saint Benoît parvinrent au monastère de Fleury. À leur arrivée, les reliques furent déposées dans l'église Saint-Pierre. Peu de temps après, elles furent transférées dans l'église Sainte-Marie car, comme beaucoup de monastères du haut Moyen Age, Fleury comptait plusieurs églises. L'agrandissement de l'église, à cette occasion, par l'abbé Mummolus, marque le début d'une longue suite de remaniements et de transformations qui allaient, peu à peu, faire de l'église Sainte-Marie l'église principale. De même, la présence de ces reliques fut à l'origine du nouveau vocable de Saint-Benoît-de-Fleury qui devait supplanter celui de Saint-Pierre-de-Fleury.

La possession des reliques de saint Benoît donna un grand prestige au monastère. Fleury devint un lieu de pèlerinage, attirant les pauvres et les riches, les rois et les seigneurs, dont la dévotion se traduisit par de nombreuses donations. La renommée du monastère, son rayonnement spirituel, s'étendirent bientôt à toute la Gaule et aux pays voisins.

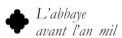 *L'abbaye avant l'an mil*

L'abbaye de Fleury fut, à l'époque carolingienne, un haut lieu de culture. Grâce

à l'abbé Théodulfe, conseiller de Charlemagne et de Louis le Pieux, poète, érudit et amateur d'art, l'abbaye de Fleury devint un centre d'études de grand renom. De son *scriptorium* parurent des ouvrages qui reflètent non seulement un grand intérêt pour les auteurs chrétiens mais également un goût très prononcé pour la culture classique. Certains de ces ouvrages furent illustrés mais l'enluminure n'atteignit pas à Fleury le prestige qui fut le sien à Tours.

Les raids normands de la seconde moitié du IXe siècle ne semblent pas avoir appauvri la riche bibliothèque ni affaibli la vie intellectuelle. Pourtant l'abbaye eut à subir par quatre fois les assauts des envahisseurs et les moines durent cacher et protéger les reliques de saint Benoît qui échappèrent ainsi aux dévastations et aux incendies. Il n'en fut pas de même des deux églises Saint-Pierre et Sainte-Marie ainsi que des bâtiments monastiques qui, pillés et livrés aux flammes, durent être reconstruits. Le dernier raid normand, conduit par un certain Raynaldus, fut écarté par une intervention miraculeuse de saint Benoît. Le chef barbare s'enfuit et mourut en regagnant son camp. Les habitants auraient gravé dans le mur de l'église le masque du normand que nous voyons encore aujourd'hui dans le bras nord du transept.

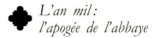

L'an mil : l'apogée de l'abbaye

Malgré le redressement matériel, les bouleversements apportés par les raids normands et l'anarchie féodale perturbèrent la vie spirituelle et, comme ce fut le cas dans de nombreuses abbayes, la nécessité d'une réforme s'imposa. Elle fut l'œuvre, à Fleury, du grand abbé Odon de Cluny entre 940 et 943. Ce redressement fut durable, assuré par de grands abbés, de telle sorte que Fleury participa à son tour à l'action réformatrice de la fin du Xe et de la première moitié du XIe siècle.

La période d'apogée de l'abbaye se situe vers l'an mil sous les abbatiats d'Abbon (988-1004) et de Gauzlin (1004-1030). Ces deux abbés marquèrent profondément la vie du monastère et eurent un rôle essentiel dans le développement spirituel et temporel de l'abbaye. Soucieux du respect des coutumes mais défendant les libertés monastiques, ils menèrent une politique active pour accroître les possessions et assurer la richesse de l'abbaye. Ils bénéficièrent, en outre, de l'attention bienveillante des rois capétiens dont l'une des principales résidences royales était alors Orléans. Selon Adémar de Chabannes, Gauzlin aurait été le demi-frère du roi Robert le Pieux. Cette hypothèse n'est pas unanimement acceptée, cependant la *Vita Gauzlini* d'André de Fleury et les *Miracula Sancti Benedicti* relatent les fréquentes visites du roi au monastère et insistent sur l'intérêt que le roi prenait à ses affaires. De plus, Helgaud, moine de Fleury et biographe de Robert le Pieux, souligne à plusieurs reprises les attentions du roi à l'égard du monastère.

Les personnalités, fort différentes mais complémentaires, d'Abbon et de Gauzlin furent à l'origine de l'essor spectaculaire de l'abbaye. Abbon, érudit et humaniste, enrichit considérablement l'abbaye dans le domaine culturel. Il s'intéressait à tous les domaines de la pensée et écrivit des ouvrages sur la grammaire, les poids, les nombres, la musique et les planètes. Grâce à lui, Fleury devint l'un des foyers d'études les plus réputés. Parmi la centaine de

Manuscrit de Fleury. Maître et disciple. En-tête d'un traité de Saint Augustin (Orléans, B.M., Ms. 46, F° 1)

L'église et le village. Vue générale du Sud-Ouest depuis la rive de la Loire vers Sully.

manuscrits du Xᵉ siècle qui nous sont parvenus, ouvrages de grammaire, de rhétorique, de poésie, de logique ou de médecine, la plupart appartiennent à la fin de ce siècle et sont entrés à l'abbaye sous son abbatiat. Des manuscrits de l'école de Winchester vinrent également enrichir le *scriptorium*; en effet, Abbon entretenait des relations étroites avec l'Angleterre où il avait enseigné à Ramsey.

Homme de lettres, Abbon ne fut pas un amateur d'art comme son successeur, l'abbé Gauzlin. Il ne s'intéressa guère aux bâtiments et la seule entreprise architecturale qu'on lui connaisse concerne l'édification du *gazofilatium*, destiné à abriter les objets précieux. Ce *gazofilatium*, achevé par l'abbé Gauzlin, situé à proximité de l'église, peut avec beaucoup de vraisemblance être identifié avec la salle de deux travées voûtée d'arêtes, conservée sur le flanc sud du chevet actuel, et connue sous le nom de « crypte Saint-Mommole ». On sait également qu'Abbon fit décorer somptueusement l'autel de saint Benoît et le *confessorium* du saint.

La personnalité d'Abbon lui valut de nombreux disciples, tous appelés à jouer un rôle important dans la vie monastique. Citons ainsi Odolric, abbé de Saint-Martial de Limoges, Constantin, écolâtre à Saint-Benoît puis abbé de Nouaillé, Bernon, abbé de Reichenau, Hervé, trésorier de Saint-Martin de Tours, Bernard, abbé de Beaulieu-sur-Dordogne, futur évêque de Cahors et enfin Gauzlin, son successeur qui devait jouer un rôle primordial à Fleury.

Les élèves d'Abbon qui demeurèrent à Saint-Benoît-sur-Loire, se distinguèrent par leurs écrits hagiographiques et historiques. Aimoin termina la rédaction des *Miracula Sancti Benedicti* commencée au IXᵉ siècle, entreprit la première compilation historique française, l'*Historia Francorum* et la biographie d'Abbon, la *Vita Sancti Abbonis*. Cette production d'ouvrages se poursuivit pendant tout le XIᵉ siècle malgré le déclin du centre d'études dans la seconde moitié du siècle. Entre 1030 et 1042, Helgaud écrivit une biographie de Robert le Pieux. Vers 1040 André de Fleury rédigea la *Vita Gauzlini,* biographie de Gauzlin, successeur d'Abbon et ajouta les livres IV à VII des *Miracula Sancti Benedicti*. Cette dernière œuvre fut poursuivie au XIIᵉ siècle par Raoul Tortaire, puis Hugues de Sainte-Marie à qui nous devons également une *Historia Francorum,* de Ninive à Louis le Pieux, et une *Historia moderna,* de 840 jusqu'à l'avènement de Louis VI.

Tous ces ouvrages, en faisant une large place aux évènements qui se déroulèrent à Saint-Benoît-sur-Loire, constituent une précieuse source de renseignements.

Dans la *Vita Gauzlini,* André de Fleury nous éclaire sur les activités et la personnalité de l'abbé Gauzlin (1004-1030). Afin de souligner le prestige de son abbaye, Gauzlin entreprit de nombreux travaux qu'il

Manuscrit de Fleury. Vierge à l'enfant. Grande Bible de Fleury (Orléans, B.M., Ms. 13, F° 95).

Manuscrit de Fleury. Salomon. Grande Bible de Fleury (Orléans, B.M., Ms. 13, F° 72).

L'église et le village. Vue du Sud-Ouest depuis la rive de la Loire vers Sully.

poursuivit encore après sa nomination en 1013 au siège archiépiscopal de Bourges. Il termina le *gazofilatium* commencé par Abbon puis, à l'ouest de l'église Sainte-Marie, il fit construire cette tour-porche qui nous accueille encore aujourd'hui à l'entrée de l'église abbatiale, une tour monumentale en pierre du Nivernais, qu'il voulut telle « qu'elle soit un exemple pour toute la Gaule ». Après le terrible incendie de 1026 qui ravagea l'abbaye, il reconstruisit l'église Saint-Pierre et l'église Saint-Denis, fit voûter le chœur de l'église Sainte-Marie, l'embellit de mosaïques et rénova son mobilier. Plusieurs éléments de ce mobilier sont décrits par André de Fleury dans la *Vita Gauzlini* : lutrin et clôture de chœur en cuivre massif, siège de l'abbé reposant sur deux lionceaux de bronze, autels de marbre, etc... De son œuvre d'embellissement de l'église Sainte-Marie, il ne subsiste que le pavement de marbre en *opus sectile* qu'il avait fait venir de « Romania » (Empire Byzantin) et qui fut remployé lors de la construction du chœur de l'église actuelle.

Contrairement à Abbon, Gauzlin apparaît plus comme un amateur d'art qu'un homme de plume. Lors d'un voyage à Rome, il achète de nombreux objets d'art, fait venir des artistes de fort loin comme le peintre lombard Nivardus ou le mosaïste qu'il avait envoyé chercher en Romania pour qu'il décore la voûte du chœur de l'église Sainte-Marie. Quand il meurt en 1030, nombre de ses œuvres ne sont pas encore achevées mais le seront par ses successeurs. Gauzlin a ouvert l'ère des grands travaux qui se poursuivront jusqu'à la fin du XIIe siècle.

Ainsi, dans tous les domaines de la vie de l'abbaye, la fin du Xe et la première moitié du XIe siècle apparaissent comme la période la plus faste. L'abbaye jouit alors d'une confortable prospérité économique et l'activité intellectuelle et artistique en fit l'un des foyers de culture les plus féconds du monde monastique.

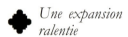 *Une expansion ralentie*

Les abbés du milieu et de la seconde moitié du XIe siècle ne poursuivirent pas la politique active de leurs prédécesseurs. Ainsi, après 1030, les dépendances de l'abbaye ne s'accrurent que des prieurés de Châteauneuf-sur-Cher et de Saint-Symphorien d'Autun. Par ailleurs, bien que les coutumes de Fleury aient, vers l'an mil, souvent servi de modèles à d'autres établissements monastiques désireux de se réformer, l'abbaye laissa l'initiative des mouvements de réforme à d'autres monastères. Enfin, le centre du pouvoir politique qui, au XIIe siècle, se déplaça d'Orléans et de la Loire vers Paris et l'Ile-de-France, s'accompagna d'un certain relâchement des liens entre l'abbaye et les Capétiens, ne favorisant pas une politique d'expansion.

Nous possédons peu de renseignements sur les abbés qui succédèrent à Gauzlin et il semble bien, mais peut-être les documents font-ils défaut, qu'aucune entreprise artistique ne puisse être attribuée aux années 1040-1050. En revanche, la seconde moitié du XIe siècle fut marquée par la grande entreprise de reconstruction du chevet et du transept de l'église Sainte-Marie. Grâce aux récits de Raoul Tortaire et Hugues de Sainte-Marie, nous possédons de nombreuses informations sur les travaux menés par les abbés Guillaume (1067-1080), Véran (1080-1085), Joscerand (1085-1096)

**Manuscrit de Fleury.
Christ en gloire.
Grande Bible de Fleury** (Orléans, B.M., Ms. 13, F° 112).

**L'église.
Tour porche, nef et transept vus du Sud.**

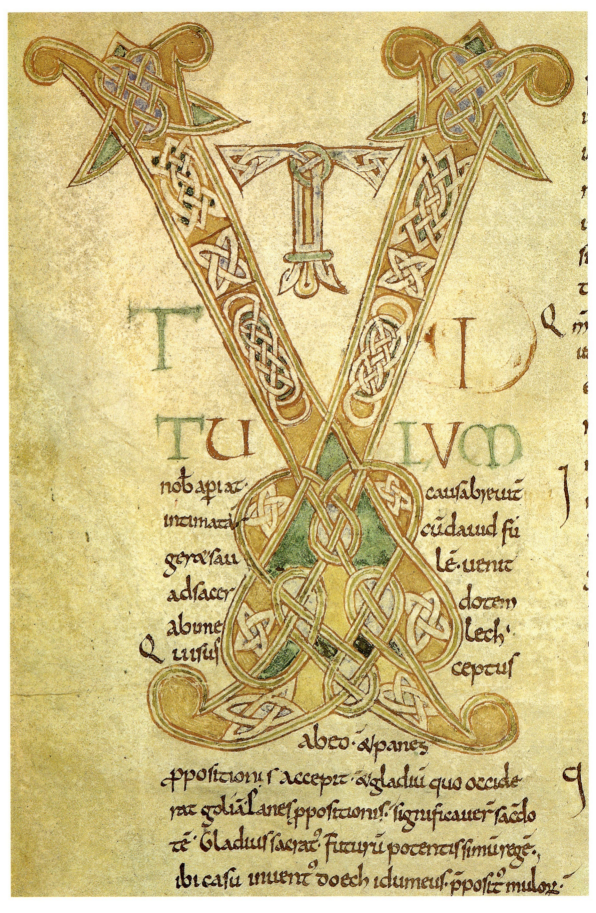

Manuscrit de Fleury.
Traité de Cassiodore
sur les Psaumes
(Orléans, B.M.,
Ms. 44, F° 1).

et Simon (1096-1108). Durant cette campagne, le corps de saint Benoît fut déposé dans la nef, qui était encore celle de l'église carolingienne. À la fin des travaux, le 21 mars 1108, jour de la fête de saint Benoît, eut lieu le retour des reliques dans le chœur et durant cette cérémonie l'autel majeur, dédié à la Vierge, et l'autel matutinal, dédié à saint Benoît, furent consacrés. Peu de temps après, le dernier protecteur de l'abbaye, le roi Philippe Ier, mort le 30 juillet à Melun, fut enterré selon son vœu, dans le nouveau chevet, devant l'autel majeur.

Cette reconstruction du chevet et du transept semble avoir pesé lourdement sur les finances de l'abbaye. Une quête, relatée dans les *Miracula,* entreprise probablement vers 1080, par un frère nommé Gillebertus, *caementariis praefectus,* afin de financer les travaux de l'église, traduit les difficultés de l'abbaye et explique la longueur de cette campagne qui a duré près de quarante ans.

Après l'achèvement du chevet, l'activité du chantier fut suspendue pendant une longue période et le projet de reconstruction de la vieille nef carolingienne qui devait être envisagé depuis fort longtemps, ne put voir le jour avant un regain de prospérité. Ce fut l'abbé Macaire (1144-1161), ancien moine de Cluny, qui permit à l'abbaye de se redresser. Il resserra les liens entre Fleury et ses 27 prieurés de France et d'Angleterre, enrichit la bibliothèque qui devint l'une des plus importantes bibliothèques monastiques de l'époque. Certes, il se heurta encore à de nombreuses difficultés financières, il fut ainsi contraint de faire fondre l'encensoir d'or de Gauzlin pour réédifier le dortoir des moines, mais il put obtenir en 1157 du roi Louis VII, des privilèges pour contribuer à l'agrandissement de l'église. Les travaux de la nef pourraient donc avoir commencé pendant son abbatiat. Cette nef de transition entre l'art roman et l'art gothique fut probablement terminée vers 1175, longtemps avant la dédicace de l'église en 1218, bien que cette date soit généralement acceptée comme marquant la fin des travaux.

Le 11 juillet 1207, l'abbé Garnier (1183-1209) fit transférer les reliques de saint Benoît dans une châsse précieuse en or et argent, sertie de gemmes, en présence des archevêques de Sens et de Bourges et des évêques de Paris, d'Orléans, d'Auxerre et de Nevers.

L'embellie devait être de courte durée. Le 12 juillet 1299, au chapitre général de Fleury et de ses prieurés, il fut décidé que l'abbaye ne compterait plus que 45 moines, les ressources ne permettant pas davantage.

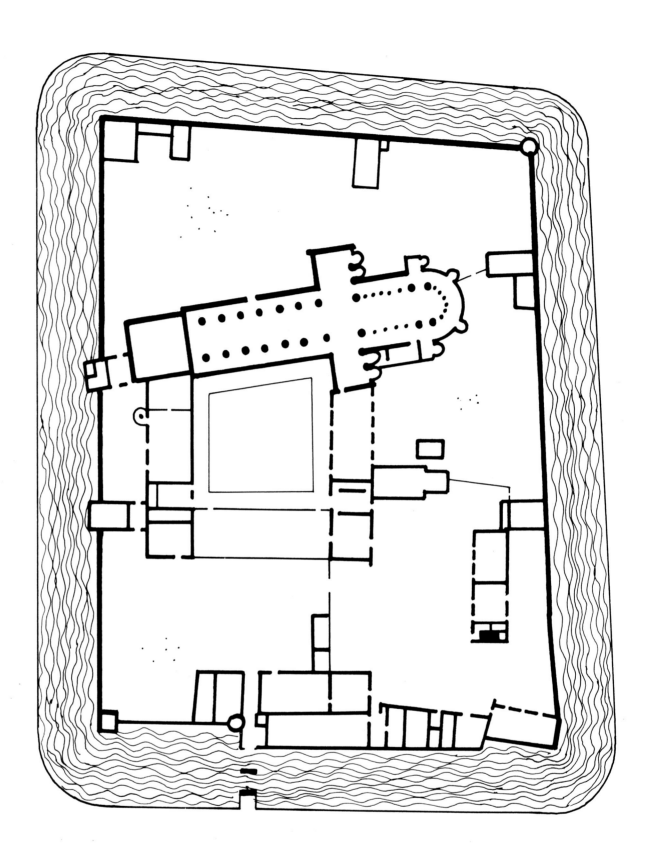

L'Abbaye au début
du XVIIe siècle.
D'après un ancien plan.

2. les temps difficiles

La guerre de Cent ans, la commende, les guerres de Religion et la Ligue troublèrent profondément la vie régulière et le rayonnement spirituel et intellectuel de l'abbaye.

La guerre de Cent ans

Durant la guerre de Cent ans, l'abbaye fut dévastée en 1358 par l'anglais Robert Knolles qui tint garnison à Châteauneuf et s'employa à ravager la contrée. À peine relevée de ses ruines l'abbaye fut occupée par deux fois, en 1363 et 1369, par des compagnies de mercenaires. Comme partout en France, la guerre, la peste, les revenus qui ne sont plus perçus, les impôts de plus en plus lourds, rendirent la vie extrêmement difficile. À la fin du XIVe siècle, l'abbé Jean de Chamboac (1381-1403) parvint à rétablir une meilleure situation financière, mais, malgré ses efforts, on ne comptait plus en 1415 que 24 moines à l'abbaye. Toutefois, le rayonnement spirituel de l'abbaye se maintint. Fleury demeura une abbaye importante grâce aux reliques de saint Benoît que l'on vint toujours prier. Ainsi, en 1429, après la prise d'Orléans, Jeanne d'Arc se recueillit devant la châsse du saint. Une plaque déposée à l'extrémité orientale du bas-côté sud commémore son passage.

Les problèmes rencontrés durant ces temps difficiles ne découragèrent pas certains abbés qui s'appliquèrent à poursuivre l'œuvre d'embellissement de l'abbatiale, entreprise par leurs prédécesseurs. Certes, le temps des grands travaux de construction était révolu mais l'entretien et la restauration des bâtiments, ainsi que la mise en valeur du sanctuaire abritant les précieuses reliques, restaient présents et retenaient tous les efforts financiers. Ainsi, en 1413, l'abbé Bégon de Murat fit meubler le chœur de l'abbatiale de cent stalles exécutées par des huchiers d'Orléans. La plupart ont été conservées; restaurées, elles peuvent encore être admirées aujourd'hui. En 1481, l'abbé Jean d'Esclives entreprit des travaux de restauration dans le chœur qui furent terminés en 1496 par son successeur Jean de la Trémoille (1488-1507).

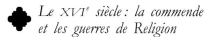
Le XVIe siècle : la commende et les guerres de Religion

Grâce à une revalorisation de la mense conventuelle, Jean de la Trémoille put également commencer la restauration, devenue indispensable, des bâtiments monastiques. Il reconstruisit le chapitre et le dortoir et commença la construction d'un jubé dans la cinquième travée de nef. Ce jubé fut achevé sous l'abbatiat d'Étienne Poncher (1507-1524) qui commanda également au sculpteur orléanais Jean Lescot, un maître-autel aux colonnes de bronze qu'il fit construire sur les fondations de l'autel majeur consacré en 1108.

L'introduction de la commende mit à l'épreuve l'abbaye de Fleury. La mense conventuelle devint dérisoire et, de plus, les moines acceptèrent difficilement les abbés commendataires. En 1525, refusant de recevoir le chancelier Duprat, abbé commendataire nommé par la Régente, les moines se retranchèrent dans la tour-porche et lui interdirent l'accès de l'abbaye. Le conflit dura deux ans. Les moines finirent par se soumettre, mais par mesure de représailles, François Ier ordonna la démolition de la tour-porche. En réalité, et fort heureusement, seul le dernier étage fut détruit, laissant subsister les deux niveaux actuels. Antoine Duprat retrouva sans doute une certaine estime auprès des moines lorsqu'il fit exécuter en 1530 une arcade monumentale placée devant le mur de confession, destinée à porter magnifiquement la châsse de saint Benoît et quelques autres reliques.

Les guerres de Religion représentent une des plus dures épreuves qu'eut à subir l'abbaye. En 1562, l'église et le monastère furent pillés par les troupes du prince de Condé. La châsse de saint Benoît qui remontait à 1207, l'autel en bronze du début du siècle, calices, encensoirs et chandeliers, disparurent. L'abbé Odet de Coligny (1551-1569), passé à la Réforme, ordonna toutefois de protéger les bâtiments ; les archives furent cependant partiellement brûlées et la plupart des manuscrits précieux conservés dans le trésor, au-dessus de la crypte Saint-Mommole, emmenés à Orléans, vendus et dispersés. Le prieur parvint à sauver les reliques de saint Benoît en les cachant dans un vieux banc à l'intérieur du logis abbatial. En 1567 encore, les troupes revinrent et pillèrent l'église paroissiale. Pendant ce triste épisode, les moines s'enfuirent et les offices furent interrompus. Dans les dernières années du XVIᵉ siècle, quelques moines regagnèrent l'abbaye mais ils ne dépassèrent pas le nombre de vingt.

✤ *La réforme mauriste*

À la suite des décrets ordonnés par le Concile de Trente, l'abbaye de Saint-Benoît-sur-Loire s'unit avec quatre autres monastères pour former, en 1580, la congrégation des Exempts de France. Néanmoins cette décision n'apporta pas le bienfait attendu. L'observance monastique n'était guère respectée et, en 1590 il ne restait plus que cinq religieux vivant au monastère. Le redressement s'amorça enfin avec le règne d'Henri IV.

En 1621, Richelieu fut pourvu de l'abbaye et imposa à ses moines l'adhésion à la nouvelle congrégation de Saint-Maur en 1627. La nouvelle observance fut un bienfait pour l'abbaye et dès lors le temporel et le spirituel se rétablirent.

Les mauristes entreprirent alors la restauration de l'abbatiale et procédèrent à de nouveaux aménagements.

Entre 1633 et 1639, l'église fut nettoyée, les murs blanchis et la modénature du déambulatoire en grande partie refaite. Les piles de la croisée du transept subirent, elles aussi, des restaurations, car la foudre, en 1615, avait détruit la flèche de plomb et l'église n'avait pu être épargnée qu'en «faisant tomber le feu dans l'espace de la

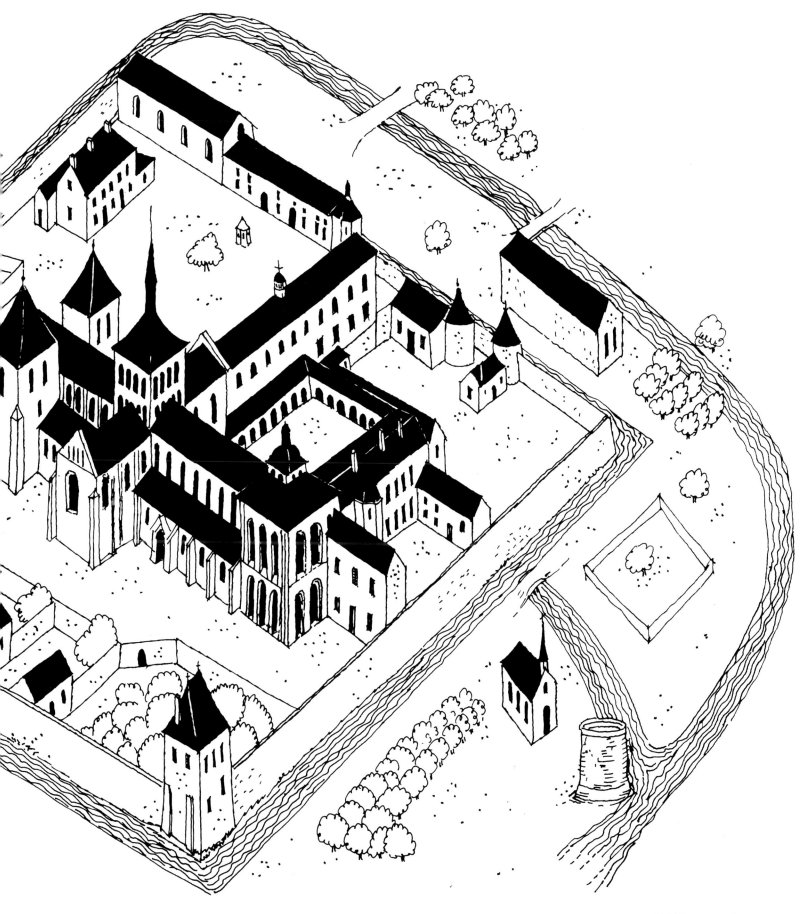

L'Abbaye en 1645.
Perspective cavalière
d'après un ancien plan.

tour de murailles qui portait ladite flèche» (Dom Leroy, *Remarques,* t. I, p. 419). Dans le chœur, les entrées de la crypte furent condamnées pour établir des escaliers montant directement des collatéraux du chœur au déambulatoire tandis qu'un passage fut aménagé entre les chapelles du bras sud du transept pour accéder à la crypte en passant par la salle de Saint-Mommole. Enfin, les mauristes supprimèrent plusieurs autels de la crypte en raison de l'humidité qui y régnait et, en 1637, ils transférèrent les reliques de saint Benoît dans la sacristie, l'ancien trésor, où les fidèles pouvaient les apercevoir par la fenêtre de la chapelle orientée voisine.

Entre 1642 et 1663, des travaux d'embellissement modifièrent considérablement l'aspect du sanctuaire en bouleversant la disposition médiévale. En 1642, le prieur dom Pierre Lucas fit repousser l'autel principal vers l'est et démolir l'arcade et l'autel de l'abbé Duprat. Ces travaux permirent de découvrir la petite châsse mérovingienne de Mumma, placée dans les fondations lors de l'établissement de l'autel de 1108. En 1661, le prieur dom Grégoire de Verthamont fit construire au fond de l'abside un grand «mausolée» de saint Benoît, haut de 18 mètres. Le sol du sanctuaire aménagé en degrés montait vers cet immense reliquaire, ensevelissant le mur de confession. En 1663, un reliquaire en vermeil dessiné par Antoine Charpentier, offert par les 144 monastères de la congrégation de Saint-Maur avec l'aide de Gaston d'Orléans, frère de Louis XIV, fut placé au centre du mausolée. Ces transformations constituèrent un poids supplémentaire pour les supports de la crypte qui durent être renforcés. Le mausolée resta en place jusqu'en 1861. La moitié supérieure se trouve aujourd'hui dans le bras sud du transept, transformée en monument aux morts.

À la fin du XVIIe siècle, les mauristes installèrent à l'entrée occidentale de l'église, un grand orgue monté sur une tribune en bois, inauguré en 1657, puis remonté en 1705 sur une tribune de pierre.

La dernière modification entreprise dans l'église par les mauristes fut la démolition, en 1778, du jubé construit par le car-

L'Abbaye en 1795.
D'après une vue
cavalière conservée
aux Archives de la
Société Dunoise.

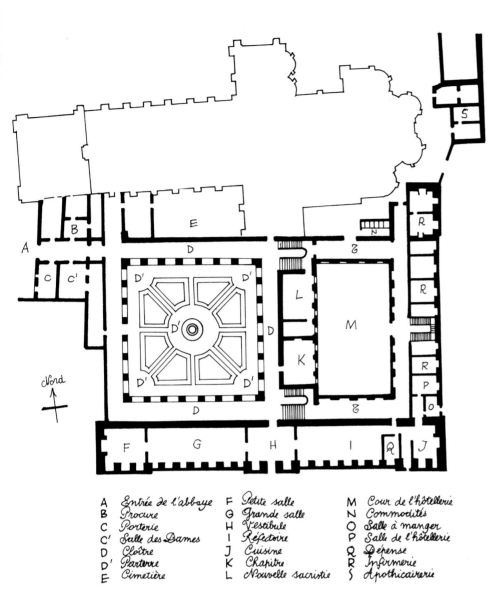

A	Entrée de l'abbaye	F	Petite salle	M	Cour de l'hôtellerie
B	Procure	G	Grande salle	N	Commodités
C	Porterie	H	Vestibule	O	Salle à manger
C'	Salle des Dames	I	Réfectoire	P	Salle de l'hôtellerie
D	Cloître	J	Cuisine	Q	Dépense
D'	Parterre	K	Chapitre	R	Infirmerie
E	Cimetière	L	Nouvelle sacristie	S	Apothicairerie

L'Abbaye en 1794. D'après un plan dressé par J.-A. Merlet, instituteur à Saint-Benoît. (Archives de la Société Dunoise).

dinal de la Trémoille et le déplacement des stalles du chœur dans les deux dernières travées de la nef.

Enfin, de 1712 à 1731, la reconstruction totale des bâtiments monastiques qui tombaient en vétusté, fut réalisée.

✠ *La Révolution*

Dans la seconde moitié du XVIIIe siècle, la ferveur, à nouveau, se relâcha. Le 6 mai 1790, lorsque les officiers municipaux se rendirent à l'abbaye pour dresser l'inventaire général, les religieux n'étaient plus qu'une dizaine. Ils durent quitter l'abbaye et les bâtiments furent déclarés biens nationaux, puis vendus. La bibliothèque, le trésor et le mobilier furent dispersés ou détruits.

De 1797 à 1807, les bâtiments conventuels furent démolis par l'architecte Benoît Lebrun. L'église abbatiale devait subir le même sort mais elle fut sauvée de justesse par la municipalité qui l'échangea en 1809 contre l'église paroissiale qui tombait en ruines.

3. la renaissance de l'abbaye

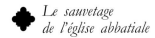
*Le sauvetage
de l'église abbatiale*

En 1825, les paroissiens firent déposer les reliques de saint Benoît dans une nouvelle châsse en bois peint destinée à remplacer la châsse d'argent du XVIIe siècle fondue en 1793. Malgré leurs efforts, ils ne purent trouver les fonds nécessaires pour mettre hors d'eau l'église qui avait souffert de son abandon entre 1790 et 1809 et se trouvait en fort mauvais état. La toiture, très abîmée, s'effondrait sur les voûtes, les baies avaient perdu leur vitrerie et les déblais accumulés après la démolition des bâtiments monastiques entretenaient une humidité néfaste à l'intérieur du monument. Par ailleurs, le bras sud du transept, jadis contrebuté par l'aile attenante, présentait des signes inquiétants de désordre des maçonneries.

Dès 1825, l'évêque d'Orléans, Mgr Brumauld de Beauregard s'inquiéta pour l'avenir du monument. Il entreprit alors de réunir tous les documents subsistants sur son histoire et de le sauver de la ruine. Ses efforts restèrent vains. Le devis établi par l'architecte départemental François Pagot, trop onéreux, ne fut pas exécuté. Malgré l'attention bienveillante de l'évêque d'Orléans, l'église continuait à se dégrader et sa destruction partielle fut alors sérieusement envisagée.

Il fallut attendre 1836 pour que l'église fût classée au titre des Monuments historiques et échappât ainsi à la convoitise des démolisseurs.

Entre 1836 et 1840, l'architecte Delton entreprit les travaux les plus urgents afin de mettre l'édifice hors d'eau. Les grands travaux de restauration commencèrent peu après 1840. Ceux-ci furent parfois contestables comme les restaurations abusives du bras sud du transept ou comme le remplacement de trop nombreux chapiteaux dans la crypte, le sanctuaire et le transept. En revanche, les restaurations entreprises après les fouilles de 1958-1959 effectuées dans le sanctuaire, eurent le mérite de rétablir l'état antérieur aux transformations du XVIe et du XVIIe siècles en respectant les intentions des maîtres d'œuvre du Moyen Age qui réalisèrent l'abbatiale.

Le renouveau monastique

Le visiteur qui pénètre aujourd'hui dans l'édifice ressent encore une intense émotion, sans doute la même que celle des pèlerins du Moyen Age. Certes, il y a la beauté du lieu, cette architecture parfaite qui conduit immanquablement le regard vers la confession du saint. Mais il y a plus encore. Il se dégage une atmosphère de paix et de spiritualité qui transporte hors du temps. Cette atmosphère tient au fait que Saint-Benoît-sur-Loire n'est pas un monument historique comme un autre, les reliques du fondateur du monachisme occidental sont là et les moines sont revenus pour célébrer l'*opus Dei*.

Dès 1865, à la demande de Mgr Dupanloup, évêque d'Orléans, trois moines de l'abbaye de la Pierre-qui-Vire s'installèrent au presbytère de Saint-Benoît et prirent en charge la paroisse en attendant de pouvoir reconstruire un monastère. Lorsque les religieux furent expulsés de France, entre 1881 et 1903, un moine, vêtu en prêtre séculier, demeura cependant à Saint-Benoît jusqu'en 1929. Rentrée d'exil en 1920, la communauté de la Pierre-qui-Vire put acheter une partie des terrains situés au sud de la basilique et envoyer une petite communauté pour les entretenir. Le 11 octobre 1944, treize moines purent enfin reprendre l'observance monastique. Prieuré en 1946, le monastère est redevenu abbaye en 1959. Le cloître et les bâtiments monastiques furent reconstruits entre 1958 et 1967. Béni abbé le 21 mars 1991, dom Étienne Ricaud dirige actuellement une communauté d'une quarantaine de moines.

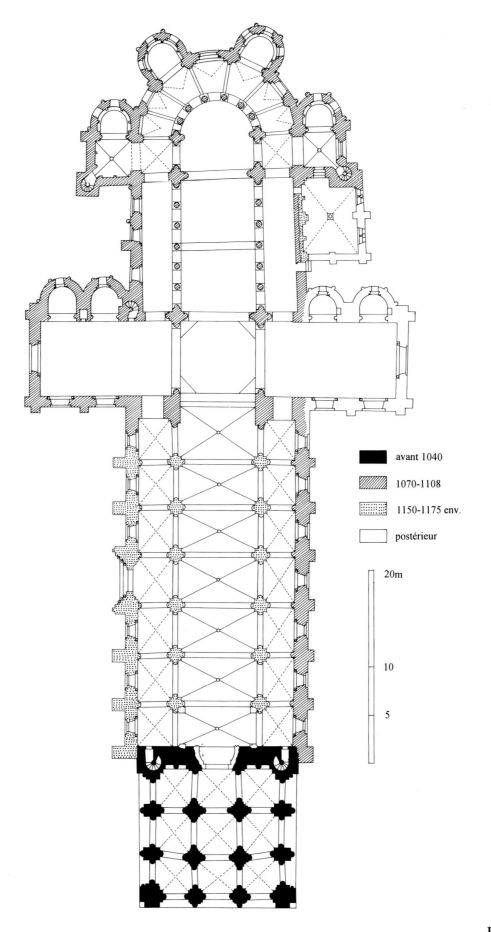

Plan de l'église abbatiale avec ses remaniements successifs.

L'église abbatiale Sainte-Marie

Durant le haut Moyen Age, Fleury comptait plusieurs églises comme alors beaucoup de monastères. Au VIIe siècle, Saint-Pierre apparaît comme l'église principale et les reliques de saint Benoît y furent déposées à leur arrivée. Peu de temps après cependant, elles furent transférées dans l'église Sainte-Marie qui, de ce fait, devint l'église principale et subit dès lors de multiples agrandissements, embellissements et reconstructions.

Des deux églises mérovingiennes dédiées à sainte Marie qui se sont succédées, celle citée dans l'acte de fondation et celle de Mummolus, nous ne connaissons presque rien. En revanche, nous sommes assez bien renseignés, grâce aux textes et aux fouilles archéologiques, sur l'église Sainte-Marie reconstruite en 883 après les invasions normandes, précédant l'église actuelle. Elle possédait un chevet plat dont le chœur était aussi large que le chœur actuel. Devant l'autel majeur dédié à la Vierge se trouvaient les reliques de saint Benoît placées sur plusieurs marches. Les fidèles ne pouvaient pas approcher les reliques et devaient se tenir derrière le chancel ou les grilles qui fermaient le chœur. La croisée du transept était ornée d'un pavement de terre cuite et de calcaire dessinant un cercle de 4 mètres 45 de diamètre. La nef était probablement de la même largeur que la nef actuelle et une tour devait constituer la façade occidentale. Dans la tribune de cette tour, les moines se réunissaient pour psalmodier et, au rez-de-chaussée, des repas étaient servis aux pèlerins. L'église carolingienne avait été prolongée vers l'est par une petite crypte constituée d'un couloir central et de deux *aumenta*.

L'église carolingienne disparut peu à peu au cours des XIe et XIIe siècles, remplacée par l'église que nous connaissons actuellement.

En premier lieu, à l'extrémité occidentale, l'abbé Gauzlin entreprit la construction d'une vaste tour-porche, de plan carré, ouverte sur ses trois côtés, comportant trois étages à l'origine, chaque niveau étant subdivisé en neuf travées. Les travaux débutèrent probablement avant le terrible incendie qui, en 1026, ravagea l'abbaye. Hugues, historiographe de Fleury, récapitulant les principaux évènements de l'histoire de l'abbaye pour son *Historia nova Francorum,* précise que Gauzlin, surpris par la mort en 1030, ne put achever la tour. On ignore si cette construction remplaçait la tour servant de façade à l'église carolingienne mentionnée dans un passage des *Miracula,* ou si elle avait été construite plus à l'ouest.

Entre 1067 et 1080, l'abbé Guillaume commença, à l'est, la campagne du chevet et du transept qui devait s'achever en 1108.

Ce vaste ensemble comporte un transept très saillant sur chaque bras duquel s'ouvrent deux absidioles orientées, un chœur très profond et, précédant l'hémicycle, une travée plus marquée formant comme un second transept, flanquée d'une tour au nord et au sud et d'une chapelle orientée, puis un déambulatoire et deux chapelles rayonnantes. Cette construction nécessita la destruction des parties orientales de l'église carolingienne mais la nef fut conservée et abrita les reliques de saint Benoît pendant la durée des travaux.

Après l'achèvement du chœur et du transept, il restait donc à remplacer la vieille nef carolingienne. L'activité du chantier fut cependant suspendue pendant une longue période et il fallut attendre les années 1140-1150, durant l'abbatiat de Macaire (1144-1161), pour que la construction de la nef fût enfin entreprise. Cette nef gothique, longue de sept travées et flanquée de simples collatéraux réunissait enfin les deux parties romanes : le chœur de l'abbé Guillaume et la tour de l'abbé Gauzlin.

1. La tour-porche de l'abbé Gauzlin

Selon son biographe, André, moine de Fleury, son contemporain, l'abbé Gauzlin décida de construire une tour à l'extrémité occidentale du monastère, avec des pierres de taille qu'il avait fait transporter par bateau du Nivernais. Le chef des ouvriers ayant demandé à cet excellent abbé quel genre de travail il ordonnait d'entreprendre, il répondit : « Tale quod omni Gallie sit in exemplum » (Vita Gauzlini).

« Une tour telle qu'elle soit un exemple pour toute la Gaule », tel était le désir de l'abbé Gauzlin lorsqu'il décida d'édifier, à l'ouest de l'église abbatiale, la tour-porche qui nous accueille encore aujourd'hui. Et telle qu'elle est parvenue jusqu'à nous, imposante par sa masse architecturale, saisissante par le jeu des supports et la richesse de sa sculpture, elle illustre parfaitement le propos de l'abbé Gauzlin.

Pourtant, le temps ne l'a pas épargnée. Au XVIe siècle, elle fut amputée de ses parties supérieures et elle ne possède plus à présent que deux niveaux : un rez-de-chaussée voûté d'arêtes, formant passage, et un étage, également voûté, servant de chapelle haute. Elle avait déjà subi des transformations au XIVe siècle lorsque l'étage fut aménagé en chapelle pour l'abbé dont le logis se trouvait sur le flanc sud de la tour. Deux baies des faces ouest et nord furent alors pourvues de lancettes surmontées d'une rosace ou de quadrilobes et, à l'intérieur, des colonnes du vaisseau central furent bûchées et munies de consoles pour pouvoir y installer des stalles. Enfin, au XIXe siècle, l'architecte Delton a nanti les faces ouest et sud de grandes ouvertures semblables à celles de la face nord alors qu'elles n'étaient percées que de petites baies inscrites, il est vrai, dans de grands arcs de décharge.

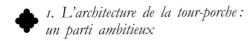
1. L'architecture de la tour-porche : un parti ambitieux

Malgré ces quelques injures du temps, cette tour, synthèse du type simple de la tour-porche et du type complexe des massifs occidentaux carolingiens, demeure l'une des plus exceptionnelles que nous connaissions. Ses dimensions, 17 m de large et 15 m de profondeur, révèlent l'extrême ambition d'un parti pourtant traditionnel. À Saint-Germain-des-Prés, à Cormery, à Saint-Hilaire de Poitiers, à Lesterps, à Évaux, à Ébreuil ou à Germigny-l'Exempt, la largeur des tours de façade n'excède jamais 12 m.

De même, les espaces intérieurs présentent une ampleur inhabituelle. La plupart des tours-porches ne comportent, en effet, que deux supports intérieurs et six travées, parfois même une pile centrale et quatre travées ; à Saint-Benoît-sur-Loire, quatre supports divisent chaque niveau en neuf travées. Cette disposition ne se rencontre qu'à Lesterps et à Vouillon mais elle existait aussi à la tour-porche disparue de Saint-Martial de Limoges.

Le traitement des trois façades est également exceptionnel. Au rez-de-chaussée, trois grands arcs par face, larges, épais, à double rouleau, ouvrent généreusement vers l'extérieur. À l'étage, la façade nord est percée de hautes baies encadrées de colonnes jumelles, cernées par un grand arc de décharge. Ces grands arcs se répètent sur les faces sud et ouest, mais les baies qui s'y inscrivaient, étaient à l'origine étroites et haut placées.

Le rez-de-chaussée de la tour-porche

Cependant, c'est sans nul doute la puissance et le foisonnement des supports qui, au rez-de-chaussée, frappent le regard et illustrent l'ambition du parti et la qualité de la construction. Au rez-de-chaussée, les piles composées, cantonnées de demi-colonnes engagées, à noyau rectangulaire pour les faces latérales, cruciforme pour la façade occidentale, circulaire pour la partie centrale, délimitent l'enveloppe extérieure et rythment les travées. L'ampleur de ces piles (2 m 80 d'épaisseur pour les piles des faces) n'est pas seulement une nécessité, elle représente une exaltation de la fonction portante du support. Cette expression de la fonction des éléments architecturaux

**La tour-porche.
Vue du Nord-Ouest.**

n'est pas un fait isolé dans l'art roman, particulièrement durant le XIe siècle, mais à Saint-Benoît-sur-Loire, elle atteint son paroxysme. En ce début du XIe siècle où l'utilisation de la pile composée appartient encore à une phase expérimentale, comme dans la crypte de la cathédrale d'Auxerre, le maître d'œuvre de la tour-porche de Saint-Benoît-sur-Loire parvient à une indiscutable maîtrise technique. Plus encore, sensible aux possibilités plastiques offertes par ce type de support, il leur fait jouer un rôle déterminant dans la définition spatiale. Les piles qui jalonnent l'enveloppe de la tour jouent sur les formes anguleuses des noyaux et des socles, celles qui sont placées au centre, au contraire, jouent sur les formes circulaires, les courbes et les contre-courbes des noyaux, des bases et des socles, permettant ainsi par la perception optique de différencier les parois qui forment les limites, et l'intérieur où les communications spatiales doivent être plus libres.

Cette diversification si subtile et si riche n'a pas été sans poser des problèmes d'implantation. On peut percevoir à plusieurs reprises des difficultés de liaison entre les piles et les retombées des voûtes, des décalages d'une pile à l'autre, ou des raccords difficiles entre les socles, les noyaux, les colonnes et les bases. Peu importe! Cette diversification, malgré ces quelques imperfections, est plastiquement plus riche que les définitions du XIIe siècle,

Tour-porche. Rez-de-Chaussée, façade Ouest.

plus stables et plus parfaites, mais combien plus tristement uniformes.

Les voûtes d'arêtes qui couvrent les travées contribuent elles aussi à enrichir la plastique du rez-de chaussée. Basses, elles ne s'élèvent qu'à 6 m 60, et, séparées par de larges arcs doubleaux pour s'adapter aux énormes supports, elles participent à l'effet de puissance et de robustesse qui se dégage de l'ensemble de ce soubassement.

Le maître d'œuvre de la tour-porche utilise parfois des formules empruntées à des traditions plus anciennes qui, loin de désavantager l'architecture, l'enrichissent considérablement. Ainsi, en abordant la tour, on remarque la présence de colonnes engagées sur la face externe des piles de l'enveloppe, s'interrompant au niveau de la retombée des arcs, qui suggèrent la disposition des monuments romains, bien qu'elles ne portent pas d'architrave comme dans l'Antiquité. Dans une période romane plus tardive, ces colonnes auraient été prolongées jusqu'au sommet de la tour, formant contrefort.

La conception de la porte ouvrant sur la nef révèle également l'intérêt porté aux monuments romains. En plein cintre, elle est dépouillée de tout ornement, comme il était d'usage à cette époque, avant que commencent les grands programmes sculptés aux portails des églises. Elle est encadrée par deux colonnes, comme dans l'architecture romaine, mais l'arc a remplacé le

**Tour-porche.
Rez-de-chaussée,
façade Nord.**

Tour-porche.
Étage.

fronton antique. Ces rappels, même altérés, de l'Antiquité, participent à cette définition imposante, voire triomphale, de l'ensemble de l'œuvre.

L'étage de la tour-porche

L'étage de la tour-porche répète la disposition du rez-de-chaussée, c'est-à-dire la division en neuf travées, mais il s'y ajoute la présence de trois absidioles prises dans l'épaisseur du mur oriental, s'ouvrant sur la nef par d'étroites baies. L'accès à cet étage se fait à partir d'une porte ouvrant sur chaque bas-côté, desservant un étroit escalier à vis.

La conception de l'espace architectural est ici totalement différente. L'effet de puissance et de robustesse qui domine au rez-de-chaussée, fait place à l'élancement et à la légèreté. Les piles, plus fines, montent jusqu'à la retombée des voûtes qui s'élèvent à plus de 10 m de hauteur. Certes, le maître d'œuvre n'avait pas à affronter les mêmes problèmes techniques qu'au soubassement et il pouvait se permettre plus facilement d'amincir les piles et de monter les voûtes, mais il semble surtout qu'il ait voulu concrétiser par l'architecture le rôle liturgique de cet étage.

La diversité formelle des piles du rez-de-chaussée cède la place, à l'étage, à une plus grande régularité. Tous les supports comportent un noyau carré cantonné de deux colonnes engagées sur chaque face dont les chapiteaux sont unis par un tailloir commun. L'alignement de ces piles identiques ne posait aucun problème et l'on ne peut observer à l'étage aucune des distorsions du rez-de-chaussée. La modénature, elle aussi, s'uniformise. Les tailloirs lisses présentent à tous les emplacements la même mouluration. Les bases à deux tores, dont le profil se répète à toutes les piles, remplacent les bases à trois tores, inspirées de l'architecture romaine, et les bases talutées.

Malgré cette stabilité dans le choix des formules architecturales, il faut encore considérer l'étage de la tour-porche comme appartenant à une phase expérimentale. L'adoption de la pile composée à deux colonnes jumelles engagées par face en est le témoignage. L'usage des colonnes jumelles est en effet peu répandu au XIe siècle, et disparaît presque totalement au XIIe siècle lorsque s'établissent des formules plus stables. En revanche, dans l'architecture du haut Moyen Age, les exemples de colonnes jumelles monolithes sont nombreux. Situées le plus souvent dans les parties orientales des édifices, recevant l'arc d'entrée de l'abside comme à Germigny-des-Prés, ou appartenant à des arcatures murales comme à Saint-Pierre de Vienne, elles apportent un enrichissement plastique considérable et magnifient le sanctuaire. Ainsi, les piles de l'étage de la tour-porche apparaissent comme une transposition dans une technique nouvelle, celle de la pile composée maçonnée, des formules héritées du haut Moyen Age où la multiplication des colonnes se révèle indispensable à la beauté et à la solennité d'un édifice.

L'entrée des absidioles, encadrée par une colonnette encastrée dans le mur, représente une autre solution héritée du haut Moyen Age mais celle-ci, très fréquente, a été utilisée dans les régions les plus diverses et a perduré jusqu'au milieu du XIe siècle.

Enfin, le voûtement de l'étage appartient lui aussi à une phase expérimentale et s'inscrit dans une série de recherches menées dans la vallée de la Loire tout au long du XIe siècle. Les travées occidentales sont voûtées d'arêtes comme au rez-de-chaussée, mais les trois travées précédant les absidioles, plus élevées, sont couvertes de petites coupoles sur plan carré. Ces coupoles ne reposent pas sur des pendentifs, comme c'est le plus souvent le cas, mais sur des angles arrondis. On retrouve des coupoles de facture analogue à Cormery et à Loches, mais dans ces deux exemples elles comportent des doubleaux entrecroisés sans réelle fonction et, de plus, elles servent à couvrir des espaces plus vastes. Leur utilisation à Saint-Benoît-sur-Loire pour des travées moins amples n'est pas justifiée. Ici encore, le maître d'œuvre a, de toute évidence, choisi cette solution pour valoriser la travée orientale qui précède les chapelles, comme il a choisi les colonnes jumelles ou

Tour-porche.
Étage. Absidiole Sud.

les colonnes encastrées pour souligner l'importance du rôle liturgique joué par cet étage.

Cependant les différences observées entre les caractères de l'architecture du rez-de-chaussée et ceux de l'étage ne correspondent pas seulement au changement du rôle liturgique. Il est fort probable qu'après la réalisation du soubassement, un autre maître d'œuvre ait pris en main le chantier. Les différences entre la sculpture du rez-de-chaussée et la sculpture de l'étage confortent cette hypothèse.

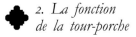 *2. La fonction de la tour-porche*

La tour-porche a été une formule assez répandue au XIe siècle dans l'architecture de l'Ile-de-France, de la vallée de la Loire et de l'Ouest. On peut citer pour exemples Saint-Germain-des-Prés à Paris, Cormery, Évaux et Saint-Savin. Ces tours-porches, d'une ou plusieurs travées de large, sans tours latérales, englobant porche, tribune, escalier et clocher, ouvrent largement vers l'extérieur au rez-de-chaussée par leurs trois faces, tandis que l'étage s'affirme comme un sanctuaire autonome peu ouvert sur la nef. Elles revêtent des aspects différents des massifs de façade bourguignons tels que ceux de Tournus, Souvigny, Cluny II ou Romainmôtier, qui se développent en longueur, comportent deux étages peu élevés et une façade encadrée par deux tours. Elles offrent également peu de comparaison avec les massifs de façade auvergnats tels ceux d'Orcival, Brioude ou Notre-Dame-du-Port à Clermont-Ferrand qui constituent de véritables massifs transversaux, profonds d'une travée, occupant toute la largeur de la nef, fermés vers l'extérieur mais, en revanche, largement ouverts sur la nef et les collatéraux. Malgré leurs différences, ces trois formules sont héritées des massifs occidentaux carolingiens, plus complexes, comprenant porche et tribune en avant-corps, ailes et tours latérales, formule reproduite au XIe siècle dans les régions mosanes et rhénanes.

Les textes relatifs à la fonction de la tour-porche de Saint-Benoît-sur-Loire font cruellement défaut, mais, on peut toutefois supposer qu'elle était semblable à celle de toutes les formes d'antéglises issues de l'architecture carolingienne. Ces antéglises sont désignées par les auteurs du Moyen Age sous le terme de *galilea* ou de *turris*. Dans le *Coutumier* du XIIIe siècle, la tour-porche de Saint-Benoît-sur-Loire est mentionnée sous le nom de *galilea,* mais Hugues de Sainte-Marie, en évoquant sa construction, la nomme *turris*. «Le terme de *galilea* ne s'applique pas exclusivement aux tours-porches, mais à toutes les formes de porche occidental développé; la galilée est un abri, parfois un lieu de sépulture; c'est là que se tiennent les mendiants, que se déroulent les cérémonies préliminaires au baptême, les exorcismes, les réconciliations des pénitents, etc. Le terme lui-même fait référence à la Galilée des Évangiles, terre des Gentils par opposition à la Judée, pays du Christ; il ne s'attache donc pas à la disposition particulière des parties hautes de la tour.» (E. Vergnolle, *Saint-Benoît-sur-Loire et la sculpture du XIe siècle,* p. 34-35). En revanche, le terme de *turris* fait explicitement référence à la forme architecturale. Les *turris* symbolisent la Jérusalem Céleste, la Cité carrée à douze portes. C'est pourquoi à Saint-Benoît-sur-Loire, chaque niveau est percé de trois ouvertures par face, y compris au revers de la tour, comme dans les églises carolingiennes de Saint-Riquier ou Corvey. Cette valeur symbolique du nombre de baies n'a pas toujours été respectée dans les tours-porches du XIe siècle et certaines, moins fidèles à la tradition carolingienne, ne possèdent qu'une ou deux baies par face, comme à Saint-Pierre de Chartres, Cormery ou Évaux.

Les *turris,* comme tous les massifs occidentaux carolingiens, associaient à l'évocation de la Jérusalem Céleste celle de l'*Anastasis* circulaire de l'église du Saint-Sépulcre de Jérusalem. À Saint-Benoît-sur-Loire, au rez-de-chaussée, cette valeur symbolique est concrétisée par la disposition des quatre piles centrales. On s'est bien souvent interrogé sur le «mauvais» alignement de ces piles par rapport aux piles de l'enveloppe, qui pouvait sembler être la conséquence d'une erreur du maître d'œuvre. En fait, ces quatre piles s'inscrivent, par la forme circulaire de leur noyau, dans la circonférence d'un cercle tangent à une ligne passant par le milieu des allées est, nord et sud, et sur le quatrième côté, tangent à l'alignement des socles internes des piles d'angle de la façade occidentale.

Les églises-porches, symboles du tombeau du Christ, devenaient ainsi un lieu de cérémonie important lors des fêtes de Pâques. La procession des Rameaux se terminait sous le porche et, le Vendredi saint, des hosties étaient enterrées à l'étage, symbolisant la Déposition, puis, déterrées dans

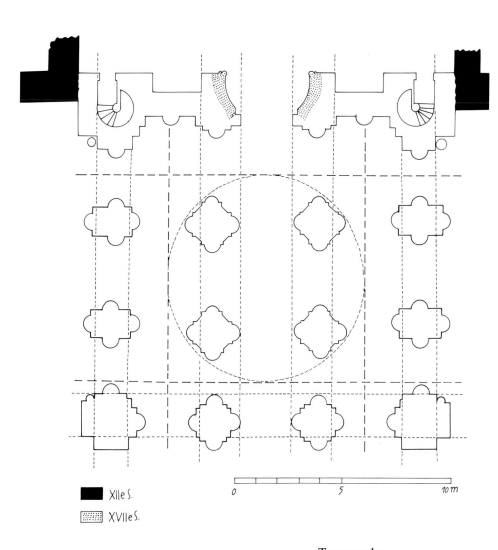

Tour-porche.
Implantation du
rez-de-chaussée.
Plan d'après
E. Vergnolle.

la nuit du samedi au dimanche, elles étaient élevées et ramenées sur l'autel.

De nombreux objets ou manuscrits, telle la plaque d'ivoire du *Museo Nazionale* de Florence ou une page du psautier de Winchester conservé au British Museum, représentent la scène de la Visite des trois Marie au sépulcre et, toujours, le saint Tombeau adopte la forme d'une tour souvent triplement étagée. Un dessin des environs de l'an mil, exécuté à Saint-Benoît-sur-Loire, figure ainsi une tour, symbole du Sépulcre, au-dessus de laquelle sont placés les gardes endormis. On ne s'étonnera donc pas si dans les *turris* se déroulait, le Dimanche de Pâques, le rite de la *Visitatio*, la visite du sépulcre par les trois Marie, comportant un dialogue chanté autour de la question *quem quaeritis in sepulcro*. Saint-Benoît-sur-Loire semble avoir été l'un des foyers les plus importants de cette liturgie théâtrale avec Luxeuil, Limoges et Moissac. Cependant, on ne peut affirmer, en l'absence de textes, que la tour-porche de Saint-Benoît-sur-Loire servît de cadre à ce rite du jour de Pâques. Encore décrit dans le *Coutumier* du XIIIe siècle, le rite du *quem quaeritis in sepulcro* se déroule alors dans le chevet.

Nous ne sommes également guère renseignés sur les autres rites liturgiques pouvant avoir eu lieu dans la tour-porche. Nous savons seulement que, dans la tour occidentale précédant la tour-porche de Gauzlin, les moines se réunissaient à l'étage pour psalmodier lors des offices selon la coutume carolingienne. Etait-ce encore possible dans la nouvelle tour-porche? En effet, ces rites nécessitaient une large ouverture sur la nef et, à l'étage, la conception de la face orientale, fermée par les absidioles percées de baies relativement étroites, tendait à l'isoler de la nef. La fermeture de la face orientale de la chapelle haute représente une tendance qui s'est affirmée au cours du XIe siècle dans d'autres tours-porches comme Cormery ou Lesterps et qui reflète peut-être une évolution de la liturgie, liée à l'importance des chevets.

Nous ignorons également à qui étaient dédiés les autels des trois absidioles de l'étage. Le vocable de Saint-Michel n'apparaît à Saint-Benoît-sur-Loire qu'au XVIIe siècle, mais c'était dès le Moyen Age celui de la plupart des chapelles hautes. Tout porte à croire, puisque la tour symbolisait la Jérusalem Céleste, que les trois autels étaient dédiés aux archanges, chefs des milices célestes et gardiens de l'entrée de l'église, comme dans la plupart des massifs occidentaux carolingiens et de leurs dérivés.

 3. Les problèmes archéologiques

La tour-porche de l'abbé Gauzlin recèle bien des énigmes qui ne cessent d'opposer les archéologues et les historiens de l'art.

Les deux problèmes majeurs consistent, d'une part à déterminer l'emplacement de la façade principale (était-elle à l'Ouest ou au Nord?) et, d'autre part à expliquer les problèmes de liaison entre la tour et la basilique carolingienne : était-elle isolée à l'Ouest de la nef et de la tour carolingiennes? ou bien au contraire l'ancienne tour a-t-elle été détruite et la tour actuelle raccordée à l'ancienne nef?

La question de l'emplacement de la façade principale pourrait paraître a priori superflue. Au rez-de-chaussée, la présence dans les travées centrales de piles composées plus complexes qu'au nord et au sud, jointe à celle de chapiteaux historiés consacrés à l'Apocalypse, semblerait souligner l'importance de l'allée centrale au détriment des autres travées et indiquer ainsi que la façade principale était bien celle de l'Ouest. Or, à l'étage, il n'en est plus de même. Primitivement, la face ouest n'était percée que de trois petites fenêtres haut placées, comprises sous de grands arcs de décharge; ce sont les restaurations de Delton au XIXe siècle qui lui ont accordé les grandes baies que nous voyons aujourd'hui. En revanche, seule la face nord comportait de grandes ouvertures qui ont d'ailleurs servi de modèles à Delton. De plus, ces baies sont soulignées par des colonnes jumelles ornées de chapiteaux et, les écoinçons des arcs, les allèges des baies sont rehaussés de plaques sculptées. L'importance accordée d'abord au côté occidental, puis au côté nord, semble indiquer un changement d'orientation de la façade principale en cours de travaux. Or, on sait qu'au moment du terrible incendie de 1026, les bâtiments monastiques se trouvaient au Nord, et que lors de la reconstruction du chevet et du transept par l'abbé Guillaume vers 1070, ils se trouvaient au Sud. Ce changement d'orientation s'est sans doute effectué après l'incendie, lors de la reconstruction générale qui suivit. Le rez-de-chaussée de la tour-porche aurait alors déjà été implanté, privilégiant la façade occidentale, et la construction de l'étage aurait débuté après 1026 en tenant compte de la nouvelle orientation des bâtiments de l'abbaye. Cette hypothèse paraît la plus vraisemblable.

Le second problème concerne la relation entre la tour-porche de l'abbé Gauzlin et la basilique carolingienne. En l'absence de fouilles dans la partie occidentale de la nef du XIIe siècle, cette relation ne peut faire l'objet que d'hypothèses et il convient donc de s'interroger sur la conception du mur oriental de la tour-porche et particulièrement sur son revers.

Le mur oriental de la tour-porche est un mur très épais à l'intérieur duquel sont construits les deux escaliers latéraux desservant l'étage de la tour. Au rez-de-chaussée, du côté occidental, ce mur comprend une porte assez large, agrandie au XVIIe siècle, encadrée par des arcatures murales. Au revers, deux profondes niches à fond plat ont été creusées dans la maçonnerie entre la porte centrale et les portes des escaliers latéraux. Selon une hypothèse couramment admise, ces niches auraient été des passages bouchés lors de l'édification de l'étage et remplacées sur la face ouest par une arcature. Cependant, cette hypothèse n'est pas acceptable puisqu'il n'existe aucune trace de reprise des maçonneries et que la liaison des assises des arcatures s'effectue sans rupture avec celles du mur.

On peut interpréter différemment l'existence des niches et des arcatures. Leur fonction, comme fréquemment dans l'architecture romane, est de réduire l'épaisseur de la maçonnerie afin de les alléger.

Tour-porche.
Vue intérieure du rez-de-chaussée.

De plus, leur implantation correspondant à celle des absidioles latérales de l'étage, elles jouent ainsi le rôle d'un arc de décharge soulageant les maçonneries.

Au revers du mur, à l'étage, dans la partie centrale, on peut également observer un grand arc de décharge, où s'inscrivent les baies successivement murées de l'absidiole axiale, identique à ceux des façades extérieures. La ligne verticale qui monte du sol jusqu'aux claveaux de l'arc indique aussi, comme à l'extérieur, la présence de contreforts. On pourrait donc considérer ce mur oriental comme une façade extérieure, indépendante de la basilique carolingienne, à condition toutefois qu'il existe aussi des arcs de décharge latéraux semblables à ceux des autres faces. Or, ces derniers demeurent hypothétiques bien que certains historiens de l'art affirment leur existence. Nulle trace ne subsiste dans les combles de la nef, nulle trace à l'extérieur, mais il est vrai que l'appareil a été repris au XIXe siècle, nulle trace non plus à l'intérieur, mais ici aussi les maçonneries ont été bouleversées lors de la construction de la nef au XIIe siècle.

La question posée de l'emplacement des baies des chapelles latérales nous paraît plus riche d'enseignement. La construction des murs gouttereaux de la nef du XIIe siècle a obturé leurs ouvertures. Cependant, leurs contours visibles à l'intérieur de l'étage de la tour-porche, permettent de constater que dès le XIe siècle elles avaient été déviées vers le Sud. Ce désaxement ne peut s'expliquer que par un problème de liaison entre la tour et la basilique carolingienne. En effet, si la tour-porche n'avait pas été construite dans son prolongement, le maître d'œuvre aurait percé les ouvertures des baies dans l'axe central. Toutefois plusieurs solutions ont été envisagées :

– la tour-porche de l'abbé Gauzlin aurait été isolée de tout autre édifice à l'Est mais la vieille tour carolingienne aurait fait écran devant les chapelles et il aurait donc été nécessaire de dévier l'axe des baies. Comment expliquer alors les impostes du XIe siècle situées au revers de la tour, identiques aux autres impostes de la tour-porche et destinées selon toute vraisemblance à recevoir les grandes arcades ?

– la tour carolingienne aurait été abattue et la tour-porche de l'abbé Gauzlin l'aurait remplacée. Il faudrait alors supposer une importante erreur de calcul car l'architecte n'aurait pas eu de réels problèmes d'alignement.

– la tour carolingienne aurait été abattue, après l'implantation de la tour de Gauzlin, et la nef du IXe siècle prolongée pour la raccorder à la nouvelle construction. Une erreur de calcul, fort concevable car il est toujours difficile d'aligner deux édifices séparés par un obstacle, aurait alors amené les murs de la nef dans l'axe des baies.

– Gauzlin avait peut-être l'ambition de reconstruire toute la basilique. Le maître

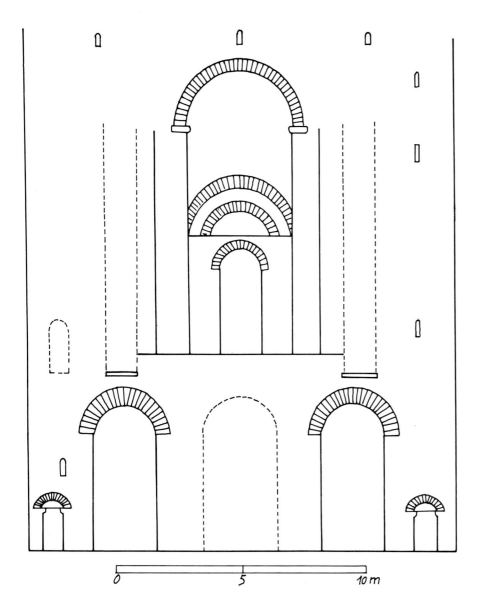

Tour-porche.
Plan du revers du mur oriental, contact de la tour et de la nef.
D'après E. Vergnolle.

d'œuvre aurait alors implanté la tour sans souci de s'aligner sur la nef carolingienne. Le projet, trop ambitieux, aurait été abandonné à la mort de Gauzlin ou à la suite de l'incendie de 1026 qui dut compromettre la situation financière de l'abbaye. Il aurait alors été nécessaire de raccorder le mieux possible la tour et la nef carolingienne. Hypothèse, certes séduisante, mais qui reste une hypothèse car, curieusement, André de Fleury, le biographe de Gauzlin ne dit rien de ce projet. Il signale simplement qu'à la mort de l'abbé, la tour n'était pas achevée.

Les deux dernières hypothèses sont, sans nul doute, les plus plausibles, mais il n'en demeure pas moins que le raccord entre les deux constructions était maladroit. Comme on peut en juger par les impostes qui subsistent, l'alignement des grandes arcades et des murs gouttereaux s'effectuait sur la courbure des arcs du revers du mur oriental et non sur les piédroits.

Ce revers du mur oriental de la tour-porche, plein d'énigmes archéologiques, nous livre au moins une indication précise et fiable concernant la nef carolingienne. Compte tenu de l'écartement des impostes, celle-ci devait mesurer entre 8 m et 8 m 20 de large.

La hauteur est plus difficile à évaluer. Le vaisseau central actuel mesure 19 m de haut. L'arc central de décharge, situé au revers du mur, laissait clairement voir, au moment de la dépose de l'orgue, une ligne horizontale aux deux tiers de la hauteur de l'arc et un changement d'appareil qui se prolonge sur les piédroits. Aucune autre trace ne prouve l'existence d'un plafond, mais on peut difficilement formuler une autre hypothèse pour expliquer cette ligne horizontale. La nef carolingienne aurait donc été charpentée comme dans la plupart des édifices de cette époque.

Enfin, ce revers du mur oriental de la tour-porche conserve un autre témoignage précieux : celui des vestiges du second étage de la tour. Au-dessus des voûtes en cul-de-four des absidioles (dans les combles de la nef du XIIe siècle), se trouve un passage, voûté en berceau continu, pris dans l'épaisseur du mur, et jadis éclairé vers l'Est par trois fenêtres fortement ébrasées. Ce passage permettait de circuler de l'angle nord-est de la tour où se trouve un escalier montant du rez-de-chaussée jusqu'aux combles actuels, à l'angle sud-est, où l'escalier s'interrompait au premier étage. Ce passage est détruit au-delà de l'angle sud-est. Se prolongeait-il jadis sur les autres côtés ? Avait-il une vocation militaire comme l'ont suggéré certains auteurs ? Il est difficile de répondre à ces questions. Les tours-porches ont fréquemment été utilisées pour la défense de l'abbaye mais n'imaginons pas pour autant qu'un chemin de ronde couronnait la construction !

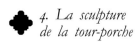

4. La sculpture de la tour-porche

L'adoption de la pile composée à demi-colonnes engagées comme support, au rez-de-chaussée et à l'étage de la tour-porche, donna naissance tout naturellement à un foisonnement de chapiteaux sculptés : 43 chapiteaux sur 50 sont conservés au rez-de-chaussée, 62 à l'étage sur 76. Ce magnifique ensemble sculpté, auquel il faut adjoindre les plaques sculptées en bas-relief de la face nord, complète et met en valeur l'exceptionnelle qualité architecturale. Aujourd'hui, ce décor sculpté qui fait l'admiration des visiteurs est un sujet de controverse pour les historiens de l'art qui s'interrogent sur ses datations.

Les chapiteaux du rez-de-chaussée

Les chapiteaux du rez-de-chaussée de la tour-porche sont, sans nul doute, ceux qui retiennent le plus l'attention. Cette attention est méritée car c'est là, au rez-de-chaussée de la tour, qu'ont eu lieu les mutations essentielles, nécessaires à la naissance de l'un des premiers ensembles de sculpture romane cohérents.

La démarche du sculpteur a consisté à mettre le chapiteau corinthien antique au cœur de ses recherches par fascination pour l'Antiquité, comme tous les artistes du Xe et

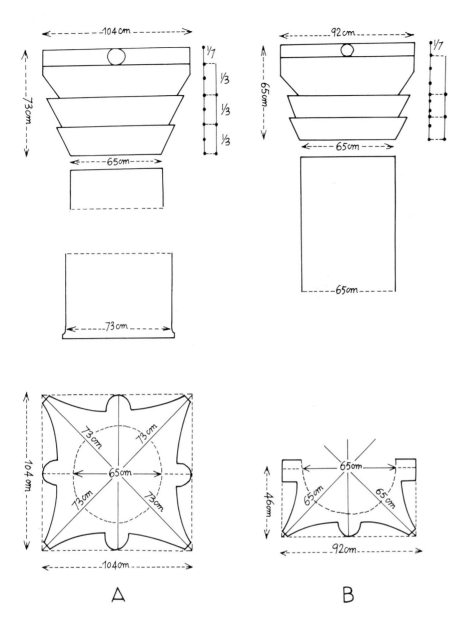

A. Proportions du chapiteau corinthien selon Vitruve.
B. Proportions des chapiteaux corinthiens du rez-de-chaussée de la tour-porche. Selon E. Vergnolle.

l'épannelage très articulé, avec un abaque fortement échancré, des couronnes où alternent de larges feuilles d'acanthe et des petits fleurons, des grandes feuilles d'angle aux volutes saillantes et de lourdes hélices surmontées de rosaces aux dessins divers. En revanche, les caulicoles et les feuilles engainantes, naissant de la couronne supérieure, qui permettent dans les modèles canoniques d'exprimer la croissance végétale, ont ici disparu pour laisser place à une simplification et à une schématisation de la partie supérieure. Désormais, les registres horizontaux deviennent autonomes, et, dès lors, le sculpteur disposant sur la corbeille de zones indépendantes, allait pouvoir improviser et procéder à d'étonnantes mutations. Le chapiteau corinthien à Saint-Benoît-sur-Loire pouvait ainsi constituer non une finalité mais un point de départ pour l'élaboration de nouvelles solutions ornementales ou figurées.

Le sculpteur qui devait être à l'origine de l'une des plus remarquables expériences du début de la sculpture romane a gravé son nom : UNBERTUS (ME FECIT), sur l'abaque d'une de ses œuvres. Ce magnifique chapiteau corinthien exécuté par Unbertus est placé à l'endroit le plus visible du porche, là où l'allée centrale s'ouvre dans la façade occidentale. C'est dire l'importance que le sculpteur accordait à ce type de décor.

Unbertus, en créateur, ne se limita pas au décor d'acanthes ; il introduisit, sur les chapiteaux épannelés selon les principes corinthiens, un motif hérité du haut Moyen Age : la palmette. Doubles rinceaux ondulés à demi-palmettes et arbres de palmettes pénètrent sur la corbeille s'appliquant aux couronnes, aux feuilles d'angle ou aux cartouches, parfois même couvrant toute la surface d'un réseau en faible relief, mettant en valeur la puissante articulation des volumes. Ces chapiteaux à palmettes, en nombre relativement restreint au rez-de-chaussée de la tour-porche, connurent une grande fortune à l'étage et inspirèrent encore les sculpteurs du chevet lorsque le chapiteau corinthien fut délaissé.

Empruntés bien souvent au répertoire ornemental des manuscrits, l'animal et la

du début du XIe siècle, mais aussi parce que seul le retour aux solutions les plus riches du passé permettait un renouvellement. Il s'en servit, non pour l'imiter, mais afin qu'il devienne un cadre propice à un renouveau du décor monumental.

Les modes de calcul théorique des proportions de la corbeille et de l'abaque exposés par Vitruve dans son traité d'architecture ne lui étaient pas inconnus puisqu'il les appliqua partiellement, mais il préféra aux modèles canoniques, les modèles gallo-romains, plus familiers, au schéma simplifié, dont le feuillage gras et luxuriant offrait une grande richesse plastique. Ainsi, naquirent à Saint-Benoît-sur-Loire des chapiteaux corinthiens romans, à

Rez-de-chaussée de la tour-porche. Chapiteau d'Unbertus.

Rez-de-chaussée de la tour-porche. Chapiteau corinthien avec torsades sur le cartouche.

Rez-de-chaussée de la tour-porche. Chapiteau corinthien avec palmettes sur le cartouche.

Rez-de-chaussée
de la tour-porche.
Chapiteau corinthien
à couronnes avec
oiseaux affrontés
buvant dans un calice.

Rez-de-chaussée
de la tour-porche.
Chapiteau corinthien
à couronnes avec
quadrupèdes affrontés
et un lièvre dans un
cartouche d'angle.

Rez-de-chaussée
de la tour-porche.
Chapiteau à protomes
de béliers sur fond
de palmettes.

figure humaine font leur apparition, aux mêmes emplacements que la palmette. Sur les cartouches, s'inscrivent des oiseaux, des quadrupèdes, des atlantes et même un acrobate exécutant un saut périlleux. Les couronnes servent aussi de support à des files d'oiseaux de profil ou à des oiseaux affrontés buvant dans un calice, tandis que sur une couronne d'acanthe émerge un petit personnage en buste. Les tailloirs, richement sculptés, s'ornent comme les bordures des manuscrits, de lions passants, de masques crachant des feuillages et de frises d'oiseaux affrontés aux cous entrelacés.

Parfois cependant, lorsque le sculpteur introduit la figure animale sur ses chapiteaux, il se réfère à un modèle monumental précis. Tel est le cas de deux chapiteaux représentant des protomes de béliers. Coupés à mi-corps, les béliers s'affrontent aux angles du chapiteau et se détachent sur un fond de palmettes, tandis que des oiseaux becquetant des grappes de raisin prennent place sur les cartouches. E. Vergnolle (*Saint-Benoît-sur-Loire et la sculpture du XIe siècle,* p. 81) a proposé un rapprochement avec des chapiteaux à protomes antiques et surtout byzantins « généralement en marbre du Proconèse et sculptés à Constantinople, qui furent largement exportés dans tout le bassin méditerranéen ; des exemples en sont, en particulier, conservés à Ravenne et Arles ». La connaissance de ces chapiteaux byzantins, pour un sculpteur de la vallée de la Loire, peut paraître étonnante. Unbertus prit peut-être part à l'une des deux expéditions en *Romania* (Empire Byzantin) signalées dans la *Vita Gauzlini,* l'une ayant pour but de rapporter le pavement de marbre placé dans le chœur de l'église Sainte-Marie, l'autre de ramener à Fleury le mosaïste chargé d'orner la voûte du sanctuaire après l'incendie de 1026. Cependant, comme avec les modèles corinthiens, le sculpteur ne se contente pas d'une imitation servile ; il fait subir au chapiteau une métamorphose toute romane. Alors que dans les exemples orientaux, les béliers sont en fort relief, projetés à l'horizontale au-dessus d'une haute couronne, les corps sont, sur les deux chapiteaux de Saint-Benoît-sur-Loire, dressés verticale-

ment à l'emplacement des feuilles d'angle et leurs têtes affrontées jouent le rôle des volutes s'enroulant sous les angles de l'abaque. Les protomes se substituent ainsi à certains éléments organiques du chapiteau corinthien sans que leur fonction, celle de souligner les angles, en soit altérée.

La représentation de figures isolées, animales ou humaines, à l'emplacement de certains éléments du chapiteau corinthien n'est, on le pressent, qu'une étape avant le chapiteau figuré dans sa définition pleinement romane. Cette étape est franchie à Saint-Benoît-sur-Loire avec six chapiteaux comportant des représentations figurées où l'homme et l'animal occupent une place prépondérante.

Deux chapiteaux représentent des lions affrontés accompagnés, sur l'un de masques humains, sur l'autre de bustes. Les motifs se répartissent sur deux niveaux, correspondant dans la partie inférieure à la couronne et dans la partie supérieure aux volutes et aux cartouches. Les corps et les têtes des lions occupent la place des feuilles d'angle et des volutes, un masque occupe le dé, des personnages à mi-corps font office de cartouche, lions et masques s'inscrivent à l'emplacement de la couronne. L'épannelage corinthien à une couronne est ainsi soigneusement respecté, mais le figuré remplace le végétal.

Sur ces deux chapiteaux figurés, on constate que les thèmes choisis par le sculpteur se réfèrent, encore une fois, au passé. Le thème des masques, qu'il faut associer à celui des têtes coupées, a pu être emprunté au répertoire celtique où il apparaît fréquemment. Les compositions d'animaux et de têtes humaines peuvent également faire référence à des œuvres gauloises ou gallo-romaines tandis que les personnages en buste, et particulièrement les personnages entrelacés, appartiennent à la tradition classique et évoquent certaines représentations figurées sur des sarcophages romains. Au-delà des sources d'inspiration, ces figures ne semblent pas investies d'une valeur symbolique précise ; le souci ornemental demeure essentiel. Pourtant, dans les décennies qui suivront,

Rez-de-chaussée de la tour-porche. Tailloir orné d'une frise d'oiseaux affrontés.

Rez-de-chaussée de la tour-porche. Chapiteau avec des lions affrontés et des masques humains.

Rez-de-chaussée de la tour-porche. Chapiteau avec des lions passants et des bustes d'hommes et de femmes.

ce type de représentation, associé au thème iconographique de Daniel entre les lions, connaîtra une grande fortune.

Ce souci ornemental est particulièrement évident sur deux chapiteaux représentant de grands lions affrontés, redressés sur toute la hauteur de la corbeille. Leurs têtes se retournent sur les angles supérieurs de la corbeille et, de leurs antérieurs, ils soutiennent le dé central. Il ne s'agit plus sur ces chapiteaux de remplacer les éléments du chapiteau corinthien par des éléments figurés ; la corbeille propose un cadre sans rupture que le sculpteur utilise, en respectant toutefois certains principes : les angles, l'emplacement des volutes et l'axe de symétrie de chaque face. Cette création ornementale puissante, inspirée des manuscrits, sera répétée inlassablement dans l'art roman et particulièrement à Saint-Benoît-sur-Loire, à l'étage de la tour-porche.

L'introduction de l'être humain sur la corbeille des chapiteaux a posé, semble-t-il, davantage de problèmes au sculpteur. Sur deux chapiteaux, il a tenté d'exécuter des grands personnages debout, occupant toute la hauteur de la corbeille. Sur l'un sont représentés des grands personnages en pied, deux au centre de la face principale, s'inscrivant dans une sorte de cartouche qui se prolongerait jusqu'à l'astragale, et un autre personnage sous chaque volute d'angle. Un serpent ailé s'enroule autour du cou des êtres de la face principale tandis que l'un

Rez-de-chaussée de la tour-porche. Chapiteau à grands personnages debout. Un serpent s'enroule autour du cou de deux d'entre eux.

Rez-de-chaussée de la tour-porche. Chapiteau à grands lions affrontés.

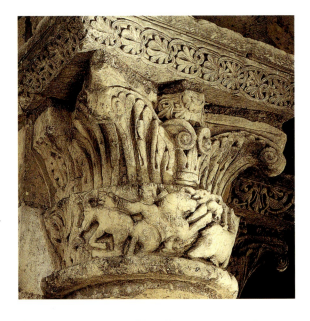

des personnages d'angle porte une besace en bandoulière et que l'autre tient la barbe du personnage de la face latérale. Sur le deuxième chapiteau, les personnages placés sous les volutes tiennent, enchaînés par le cou, des animaux affrontés placés verticalement sur les cartouches. Situé en face du chapiteau illustrant le Jugement dernier, il pourrait évoquer la scène du Dragon enchaîné (*Apoc.* XX, 1-3). Cependant, les personnages représentés ici ne sont pas des anges et l'ambition du sculpteur était peut-être uniquement ornementale.

La représentation de la figure humaine sur ces deux chapiteaux ne s'exprime pas aisément. Le principe roman de l'adaptation de la figure au cadre en est encore au stade du balbutiement. Posées sur de grandes feuilles d'acanthe, courbées sous les volutes, coincées par les dés, les figures ne disposent d'aucune liberté, d'aucune aisance dans leurs mouvements ; les jambes et les bras sont atrophiés, les têtes sont trop grosses par rapport au corps. Le sculpteur ne parvient pas, comme sur les chapiteaux aux grands lions, à structurer fortement la corbeille tout en substituant la figure humaine aux éléments du chapiteau corinthien. Il demeure prisonnier du cadre.

Alors que peu d'ensembles du début du XIe siècle osèrent tenter l'expérience, le chapiteau historié, la grande création de l'époque romane, apparaît au rez-de-chaussée de la tour-porche.

Il semble s'annoncer par une série de chapiteaux dont la couronne est traitée en frise historiée, tandis que la partie supérieure de la corbeille conserve les caractéristiques du chapiteau corinthien. Les frises antiques ont de toute évidence suggéré les différents thèmes qui ornent ces chapiteaux. Ainsi, sur trois couronnes sont sculptées des scènes de chasse inspirées de celles qui décoraient de nombreux sarcophages romains. Sur l'une, en particulier, un cavalier, les bras tendus vers l'arrière, poursuit un cerf blessé sur lequel bondit un chien, tandis qu'un animal mort gît à terre. Les sculpteurs de l'Antiquité n'ont jamais proposé des scènes d'actions sur la corbeille des chapiteaux. Lorsqu'ils représentaient des figures, elles étaient simplement juxtaposées et placées dans la partie supérieure de la corbeille. Le sculpteur de Saint-Benoît-sur-Loire ne transpose donc pas des modèles antiques sur les corbeilles romanes mais il utilise la couronne comme une surface continue et prépare ainsi la voie romane en essayant de concilier la sculpture historiée et les contraintes du chapiteau.

Un pas supplémentaire est franchi avec les chapiteaux consacrés à l'Apocalypse, aux scènes de l'Enfance du Christ, à la vie de saint Martin et à la lutte du Bien et du Mal. Ces chapiteaux se trouvent généralement situés à proximité de l'allée centrale, c'est dire l'importance que le sculpteur leur accorde, et participent ainsi étroitement à

Rez-de-chaussée de la tour-porche. Chapiteau à frise historiée. Scène de chasse : un cavalier poursuit un cerf ; à gauche un animal déjà tué.

Rez-de-chaussée de la tour-porche. Chapiteau à frise historiée. La même scène de chasse : le cerf blessé sur lequel bondit un chien.

Rez-de-chaussée de la tour-porche. Chapiteau de l'Apocalypse. Apparition du Fils d'homme ; à ses pieds, saint Jean, prosterné.

la liturgie. Cet ensemble parachève la mutation du chapiteau corinthien. Celui-ci va subir au fil du temps quelques modifications car sa structure est souvent pour le sculpteur source de problèmes. L'épannelage issu du corinthien va parfois être une contrainte pour le déroulement des scènes, parfois au contraire le favoriser. Ainsi, les faces principales offrent en général au sculpteur une adaptation assez aisée, profitant du cartouche pour isoler une scène ou mettre en évidence les personnages principaux, le supprimant quelquefois pour déployer plus facilement la scène. Le traitement des angles lui pose en revanche un problème plus délicat puisqu'ils peuvent difficilement être supprimés. Les angles supérieurs sont, en effet, toujours occupés par d'épaisses volutes qui n'accordent qu'une place très restreinte aux personnages qu'il place presque toujours à cet endroit, le plus souvent des personnages secondaires comme les servantes qui assistent à la scène de la Visitation.

Le thème primordial de l'Apocalypse est traité sur trois chapiteaux. Ils témoignent de l'importance accordée par les religieux de Saint-Benoît-sur-Loire au dernier des livres de la Bible dans lequel saint Jean découvre la vision grandiose où le Christ lui révèle son triomphe et celui de ses témoins sur les puissances du mal. La tour-porche symbolise la Jérusalem Céleste telle que Jean la voit dans sa vision et, elle sert de cadre aux scènes qui se déroulent sur les chapiteaux. Le but de ces trois chapiteaux n'est pas seulement d'illustrer cette vision, ils expriment l'espérance chrétienne selon laquelle le Christ ressuscité reviendra un jour pour juger les vivants et les morts.

La vision préparatoire se situe en façade, face à l'Ouest, relevant d'une vieille tradition selon laquelle le couchant évoque le dernier soir de l'humanité et l'avènement d'un monde nouveau représenté par la Jérusalem descendant du ciel. Le récit débute sur le cartouche central avec l'apparition du Fils d'homme (*Apoc.* I, 13-18) dans une mandorle constituée de deux cercles se coupant en huit à l'instar des exemples situés dans les manuscrits contemporains. Le Fils d'homme porte un baudrier à

travers la poitrine et il touche de la main un petit saint Jean prosterné à ses pieds. On peut encore distinguer, près de son épaule, les sept étoiles et les clés de la mort et de l'enfer. Le sculpteur n'a pas fait figurer le glaive effilé à deux tranchants qui aurait dû sortir de sa bouche, mais une inscription, disparue aujourd'hui, suppléait à ce manque : GLADII DE ORE DOMINI EXITE. IOHANNES TREMITE. Sous l'angle droit, un ange remet à saint Jean le livre où il devra écrire ce qu'il va voir et entendre. On lit sur le livre : QUE VIDERIS ET AUDIERIS SCRIBE IN LIBRO (*Apoc.* I, 11). Le récit reprend sur la face gauche (les éléments empruntés au texte apocalyptique sont parfois distribués sans ordre pour répondre aux contraintes du chapiteau) où le Fils d'homme placé sur le chapiteau dans une position scabreuse réitère cet ordre (*Apoc.* I, 19). Au-dessus sont représentés les sept candélabres qui sont les sept Églises ainsi que les sept anges de ces Églises représentés par des têtes nimbées (*Apoc.* I, 20).

Sur un chapiteau voisin appartenant à la même pile, est représentée l'ouverture des six premiers sceaux par l'Agneau (*Apoc.* V, 2-7). À gauche, le cavalier blanc avec son arc qui annonce la fin des temps et vient exterminer les puissances du mal pour venger les serviteurs de Dieu opprimés. Devant lui s'avancent les trois autres cavaliers, la Mort, puis le cavalier rouge avec l'épée et le cavalier noir qui porte la balance

Rez-de-chaussée de la tour-porche. Chapiteau de l'Apocalypse. Le Fils d'homme remet un livre à saint Jean. Au dessus les sept candélabres et les sept têtes des Anges qui représentent les sept Églises.

Rez-de-chaussée de la tour-porche. Chapiteau de l'Apocalypse. Ouverture des six premiers sceaux. Le cavalier blanc avec son arc annonce la fin des temps.

évocatrice de la famine (*Apoc.* VI, 1-8). Sur la face latérale droite apparaît l'autel au moment de l'ouverture du cinquième sceau et sur l'autel se tient l'Agneau vainqueur. Sous l'autel, on distingue les petites têtes qui représentent les âmes de «ceux qui furent égorgés pour la Parole de Dieu et le témoignage qu'ils avaient rendu» (*Apoc.* VI, 9-11). Deux étoiles placées au-dessus de l'Agneau suffisent à évoquer «la pluie des astres du ciel qui s'abattirent sur la terre comme les figues avortées que projette un figuier touché par la bourrasque». Un ange s'élance du ciel, «l'ange qui montait de l'Orient, muni du sceau du Dieu vivant» (Apoc. VII, 2), tandis que saint Jean contemple la scène, les yeux largement ouverts. Le programme était ambitieux et l'artiste a éprouvé certaines difficultés à transcrire ces scènes sur les trois faces du chapiteau. Ainsi, il ne pouvait pas se permettre de représenter l'Agneau pour l'ouverture de chaque sceau mais en le plaçant sur la même face que le début et la fin des épisodes, il évoquait sa présence continuelle tout au long de la durée de l'action.

Le troisième chapiteau, consacré au Jugement dernier est mieux articulé et suit logiquement le récit de saint Jean (*Apoc.* XX, 11-13). Sur la face latérale gauche et sur la face principale, les morts ressuscitent; «les grands et les petits» sont debout devant le trône. Des livres ouverts sont sculptés à l'angle gauche représentant «les

Rez-de-chaussée de la tour-porche. Chapiteau de l'Apocalypse. Ouverture du cinquième sceau. Sur l'autel, l'Agneau vainqueur; sous l'autel, les âmes des martyrs.

Rez-de-chaussée
de la tour-porche.
Chapiteau de l'Apocalypse.
Le Seigneur du Jugement.
A sa gauche, en haut,
la Jérusalem céleste
et, en bas, l'étang de feu.

Rez-de-chaussée
de la tour-porche.
Chapiteau de l'Apocalypse.
Le Christ sur son trône.
A sa droite et à sa gauche,
les morts ressuscités se
tiennent debout devant le
trône.

livres qui ont été ouverts après que le ciel et la terre se furent enfuis devant sa face», de part et d'autre de «Celui qui est assis sur le trône». Le «livre de vie», tenu par un ange, est placé près de la figure du Seigneur sculptée sur l'angle droit. Sur la face latérale droite, se trouve, dans la partie haute, la Jérusalem Céleste dans laquelle les bienheureux entourent le Christ (*Apoc.* XXI, 2-3). Au-dessous sont représentés les damnés qui mettent leurs mains sur leur bouche parce qu'ils sont plongés dans l'étang de feu et de soufre (*Apoc.* XXI, 8).

Le second avènement du Christ est étroitement lié à son Incarnation, évoquée sur deux chapiteaux de l'allée centrale, à l'extrémité orientale, juste avant l'entrée

Rez-de-chaussée de la tour-porche. Chapiteau de l'Enfance du Christ. L'Annonciation.

Rez-de-chaussée de la tour-porche. Chapiteau de l'Enfance du Christ. Le Christ bénissant.

dans l'église. Sur l'un figurent l'Annonciation et la Visitation, sur l'autre, la Fuite en Égypte. Ce cycle de l'Enfance du Christ comprenait peut-être une Nativité qui aurait appartenu à l'un des chapiteaux disparus, remplacés au XIXe siècle par des corbeilles simplement épannelées. La face gauche du premier chapiteau montre la Vierge de l'Annonciation et l'archange Gabriel, sur la face principale Marie et Élisabeth et sur la face droite, le Christ bénissant. Les personnages sont situés sous des arcades qui peuvent évoquer la maison de la Vierge et celle d'Élisabeth comme semble le confirmer la présence, sur les angles du chapiteau, des servantes et de Zacharie. Le sculpteur a représenté les personnages principaux en position frontale, figeant les attitudes et conférant à l'ensemble un certain hiératisme qui amplifie l'atmosphère solennelle de ces scènes. La force d'expression est traduite par les gestes des personnages : mains largement ouvertes de la Vierge, bras et mains démesurément grands des deux cousines, bras levés de Zacharie. Le geste est mis en évidence au détriment des proportions du corps.

Dans l'art roman, le Christ bénissant n'est pas, en général, associé à ces deux scènes. Cependant sa présence sur ce chapiteau complète l'iconographie en rapprochant l'annonce de sa naissance de sa représentation en majesté. Quelques décennies plus tard, l'iconographie sera clarifiée et le Christ en majesté prendra place sur le tympan.

La même solennité s'exprime sur le second chapiteau représentant la Fuite en Égypte. Saint Joseph, une palme à la main, conduit l'âne sur lequel la Vierge est assise tenant l'Enfant sur ses genoux. Comme sur le chapiteau précédent, elle est représentée de manière frontale, occupant toute la corbeille et ses pieds reposent sur un tabouret placé sur l'astragale. L'âne n'est, en fait, qu'accessoire, et c'est déjà l'image de la Vierge en majesté qui s'impose à nous. L'Enfant assis sur ses genoux, comme un Christ en majesté, bénit de la main droite et tient dans la main gauche un petit disque représentant probablement le monde. En haut de la corbeille la main divine désigne

Rez-de-chaussée de la tour-porche. Chapiteau de l'Enfance du Christ. La Visitation.

l'étoile, c'est-à-dire Bethléem que la Sainte Famille vient de quitter. Sur la face latérale droite se tient un guerrier brandissant une épée et une lance. On a parfois identifié cette figure comme l'un des voleurs qui, selon un récit apocryphe, attaquèrent la Sainte Famille lors de la Fuite en Égypte. Cependant, selon le développement chronologique, il pourrait, à lui seul, représenter le Massacre des Innocents. Un saint Michel terrassant le dragon est sculpté sur la face gauche. Le sculpteur, en ajoutant cette figure sur son chapiteau, se livre à un véritable commentaire de la scène principale. En effet, la femme de l'Apocalypse sauvée du dragon (*Apoc.* XII, 1,6) a généralement été identifiée à la Vierge. L'archange a sauvé l'enfant en tuant le dragon qui s'apprêtait à le dévorer et la femme a pu se réfugier dans le désert de la même façon que Marie fuit en Égypte pour protéger son fils de la mort.

Sur ce chapiteau de la Fuite en Égypte, on observe la même déformation expressive que sur le chapiteau de la Visitation. La main de Dieu est de taille démesurée, en rapport avec sa puissance. Les jambes et les pieds de la Vierge sont atrophiés, mais le buste est agrandi pour pouvoir donner à l'Enfant une dimension importante correspondant à sa fonction iconographique. Saint Joseph, qui est un personnage secondaire dans cette scène, paraît un peu rachitique, relégué sous la grosse volute d'angle.

Rez-de-chaussée de la tour-porche. Chapiteau de la Vie de saint Martin. Le saint partage son manteau et apparaît en gloire dans une mandorle.

Dans l'allée centrale également, faisant face à la Fuite en Égypte, est représentée la vie de saint Martin. Le partage de son manteau avec le pauvre est sculpté sur la face latérale gauche. Sur la face principale, le saint apparaît, auréolé, vêtu du costume épiscopal, en position d'orant, à l'intérieur d'une mandorle de gloire tapissée de palmettes. La mandorle est tenue par deux anges foulant aux pieds des idoles symbolisées par des masques d'animaux. Sur la face latérale droite, un ange thuriféraire offre à Dieu les prières des saints. À ses pieds, la tête du démon terrassé répond au dragon transpercé par saint Michel du chapiteau précédent.

Le choix de saint Martin s'explique, sans doute par sa situation de saint régional, mais davantage encore par ses rapports privilégiés avec le Christ. L'acte de charité du partage de son manteau avec le pauvre lui a valu de pouvoir contempler le Christ avec ses yeux de chair. C'est sans doute pour cela que le sculpteur l'a représenté dans une gloire généralement réservée au Christ ou à la Vierge. Cette représentation du saint en gloire témoigne aussi de l'accroissement de l'intérêt porté au culte des saints pendant le XIe siècle. Sur le plan formel, le sculpteur a ouvert la voie romane aux multiples représentations de saints dans un cadre en forme de mandorle, sur la face principale des chapiteaux.

L'emplacement choisi pour ce cha-

Rez-de-chaussée de la tour-porche. Chapiteau de la Fuite en Égypte. Saint Michel terrassant le dragon. Détail : tête du dragon.

Rez-de-chaussée de la tour-porche. Chapiteau de la Fuite en Égypte. La Vierge en majesté.

piteau de la vie de saint Martin n'est probablement pas le fruit du hasard. L'importance du culte de l'Apôtre des Gaules en constitue l'une des raisons. Le thème de la Charité de saint Martin au rez-de-chaussée de la tour-porche, abri pour les mendiants, en est une autre. Mais, l'idée de la lutte du Bien contre le Mal, de la victoire de l'Église sur Satan représente sans nul doute la raison primordiale. Près de saint Martin, l'ange éloignant le dragon de son encensoir et les deux anges foulant aux pieds des masques d'animaux répondent au combat de saint Michel et témoignent de ce désir d'imposer au rez-de-chaussée de la tour-porche le thème de la lutte du Bien et du Mal.

Un chapiteau, malheureusement en grande partie bûché, devait également illustrer ce thème. Sur l'une des faces, un ange à trois paires d'ailes, probablement l'archange saint Michel, dispute une âme à un démon d'une laideur incroyable, vêtu du pagne à lanières, incliné sous l'angle du chapiteau.

D'autres chapiteaux, à vocation a priori ornementale, peuvent figurer symboliquement la lutte du Bien contre le Mal, comme ce chapiteau où un serpent ailé s'enroule autour du cou des personnages ou comme cet autre sur lequel les personnages placés sous les volutes tiennent, enchaînés par le cou, des animaux affrontés sur les cartouches. Les animaux, serpents, lions, figurant sur de nombreux chapiteaux,

Rez-de-chaussée de la tour-porche. Chapiteau de la Dispute des âmes. Face de droite : un Ange et un démon se dispute l'âme d'un défunt.

Rez-de-chaussée de la tour-porche. Chapiteau de la Dispute des âmes. Face de gauche : un Ange arrache l'âme d'un défunt à un démon (?).

Rez-de-chaussée de la tour-porche. Chapiteau de la Vie de saint Martin. Un Ange écrase la tête d'une idole. Sur la face de droite, un Ange thuriféraire écarte le démon.

peuvent également, au-delà de leur valeur décorative, être porteurs d'une valeur symbolique et suggérer le mal.

Sur le plan formel, l'ensemble de ces chapiteaux historiés constitue l'une des premières grandes expériences romanes. Les contraintes qu'exerce le cadre architectural du chapiteau sur les figures ont conduit le sculpteur à des créations d'une grande intensité. « L'emplacement et la fonction agissent sur la genèse des figures. Mais ne considérons pas que, pesant sur elles, ils les ont tristement atrophiées ou hypertrophiées, gênant, paralysant leur développement normal. Ils les ont aidées à naître... » (H. Focillon, *L'art des sculpteurs romans*, p. 131).

L'ensemble des chapiteaux du rez-de-chaussée de la tour-porche, corinthiens, figurés ou historiés, est en dépit de la diversité des thèmes, d'une grande homogénéité car il résulte de l'activité d'un seul artiste : Unbertus. Certes, il n'a pas exécuté seul l'ensemble du chantier de sculpture, des aides ont sans doute travaillé à ses côtés. On peut, en effet, relever des différences de qualité dans l'exécution, mais la conception générale de chaque corbeille semble revenir à Unbertus.

E. Vergnolle considère Unbertus comme le principal sculpteur du rez-de-chaussée mais aussi comme l'architecte de la tour, au moins dans ses parties basses. Son œuvre selon cet auteur « constitue une charnière entre l'an mil et l'époque romane ; par son inspiration puisée dans la culture classicisante d'origine carolingienne, si florissante à Saint-Benoît-sur-Loire sous les abbatiats d'Abbon et de Gauzlin, il apparaît comme un artiste formé au début du XIe siècle... Mais en même temps, par ses recherches sur les piles composées, sur la plastique murale, sur les chapiteaux historiés, Unbertus révèle des préoccupations proprement romanes, bien que beaucoup de solutions qu'il propose n'aient pas encore trouvé leur forme définitive. Les sculptures du rez-de-chaussée de la tour-porche témoignent donc de la survie, dans le domaine monumental, d'une culture d'origine carolingienne... » (*Saint-Benoît-sur-Loire et la sculpture du XIe siècle*, p. 199).

Rez-de-chaussée de la tour-porche. Travée occidentale.

Les reliefs de la face nord

La face nord de la tour-porche comporte une série de plaques sculptées d'une étonnante diversité thématique et formelle, réparties comme au hasard, dans les écoinçons des arcs, les contreforts et les allèges des baies.

L'ensemble le plus important, composé de six plaques réunies en deux panneaux superposés, représente d'une manière originale la Lapidation de saint Étienne et sa glorification.

La scène du martyre occupe le registre inférieur. La foule des faux témoins jette des pierres sur saint Étienne agenouillé à droite près de Saul, tandis que la main de Dieu et un personnage ailé, très mutilé, apparaissent au-dessus du saint. Sur le registre supérieur, l'âme d'Étienne, entourée d'une mandorle, est élevée au ciel par deux anges, l'un agenouillé, l'autre prosterné. Le Christ bénissant apparaît, tenant devant lui un livre ouvert comme pour la scène du Jugement dernier, et près de sa tête est représenté le soleil, normalement associé avec la lune dans la scène de la Crucifixion. En figurant le Christ en buste, la main de Dieu et le personnage ailé, le sculpteur a traduit dans la pierre la vision de saint Étienne avant sa mort, qui est celle de la Trinité.

En outre, conformément aux commentaires des théologiens comme Grégoire le Grand et Raban Maur, le sculpteur a rapproché le martyre de saint Étienne de l'Ascension du Christ. Cependant, alors que dans l'iconographie traditionnelle, le Christ, conformément aux *Actes des Apôtres* (VII, 55-56), figure dans une mandorle portée par deux anges, le sculpteur a transposé dans la mandorle l'image de saint Étienne, bras levés, vêtu d'une dalmatique, le visage imberbe auréolé d'un nimbe sans croix. On relève ici le même glissement iconographique dont avait bénéficié saint Martin sur le chapiteau du rez-de-chaussée de la tour-porche. Saint Étienne comme saint Martin se trouve ainsi glorifié d'une manière exceptionnelle puisque la mandorle, matérialisation de la lumière et des nuées, est généralement réservée au Christ ou à la Vierge.

Autant que son mauvais état de conservation permet d'en juger, la Lapidation de saint Étienne paraît avoir été sculptée par le plus doué des artistes du rez-de-chaussée de la tour qu'on suppose être Unbertus. On reconnaît les mêmes défauts et les mêmes qualités qu'aux chapiteaux du rez-de-chaussée. La morphologie des visages est conçue de la même manière ; celui du saint Étienne dans la mandorle est particulièrement proche de ceux des élus de la Jérusalem Céleste. Les vêtements des personnages sont caractérisés par les mêmes plis tuyautés et les mêmes incisions. Les jambes et les pieds ont tendance dans les deux cas à s'atrophier. Enfin, malgré l'aspect naïf et populaire de ces plaques, aspect qui caractérise presque toutes les sculptures sur dalles, des tendances nouvelles qui trouveront leur définition dans la sculpture romane plus tardive, se dégagent. Ainsi, sur ces deux panneaux, les figures sculptées selon le procédé de la taille en cuvette, le bord du bloc étant réservé pour servir de cadre, occupent toute la surface disponible. Par leur morphologie et leurs attitudes, ces figures s'adaptent à ce cadre rigoureux et y trouvent une impressionnante force d'expression comme un siècle plus tard les figures de trumeau ou de piédroit qui subiront sous les contraintes du cadre des déformations extraordinairement suggestives.

D'autres plaques, à décor figuré ou animalier, sont insérées dans la face nord. Il ne semble pas qu'on puisse y reconnaître la main d'Unbertus et leur diversité de facture laisse supposer la participation de plusieurs sculpteurs.

On distingue dans l'écoinçon de deux arcs du rez-de-chaussée un personnage assis se chauffant les mains, probablement une représentation de l'hiver si fréquemment illustré dans les calendriers. Les autres saisons ne figurent pas sur la façade, mais il ne faut pas s'en étonner, les exemples de calendriers incomplets sont nombreux dans l'art roman surtout en ce début du XIe siècle

Tour-porche.
Relief de la face nord.
La lapidation et la glorification de saint Étienne.

Tour-porche.
Relief de la face nord.
De gauche à droite :
deux chasseurs,
un bélier et un taureau.

où les cycles sculptés sont extrêmement rares.

Au-dessus de la représentation de l'hiver sont sculptés deux chasseurs précédés d'un bélier et d'un taureau qu'il serait tentant d'identifier avec les signes du zodiaque. Les deux animaux, accompagnés d'étoiles sont plutôt inspirés par des manuscrits astronomiques, peut-être même par l'un de ces manuscrits, provenant de Fleury, aujourd'hui conservé à la Bibliothèque nationale (lat. 5543). Cette série de plaques, comme celles consacrées à saint Étienne, obéissent au même procédé de taille en réserve, au même désir de densifier la surface et au même traitement des figures par rapport au cadre. Elles paraissent donc être l'œuvre d'un sculpteur travaillant avec le même esprit roman qu'Umbertus.

Les trois autres panneaux disposés sous la baie centrale ont été exécutés par une autre main. Deux plaques représentent des félins affrontés, la tête souplement renversée vers la croupe. La troisième plaque montre un chasseur bandant son arc contre un cerf. Les figures ne sont pas dégagées par la taille en réserve, elles sont en bas-relief et font au contraire saillie par rapport aux bords de la dalle; en outre, elles n'occupent pas toute la surface disponible. Elles n'appartiennent donc pas à la stylistique romane et apparaissent plutôt comme la transcription dans la pierre, d'un décor largement répandu dans les manuscrits, dès le Xe siècle.

Enfin, on peut encore observer une dernière série, très différente, comportant trois plaques sculptées en haut-relief : au bas de l'arcade centrale, deux lions disposés tête-bêche et au-dessus du contrefort de la nef, à la jonction avec la tour, une louve allaitant ses petits.

Ces plaques, insérées sur la façade comme au hasard, sans obéir à une composition cohérente, ont soulevé l'hypothèse de remplois. Il est exact que lorsque les maîtres d'œuvre du XIe siècle pouvaient se procurer des plaques sur des édifices de l'Antiquité tardive, ils les remployaient (ce fut le cas de Saint-Samson-sur-Risle en Normandie). Toutefois, à Saint-Benoît-sur-Loire, cette hypothèse si séduisante soit-elle, doit être rejetée. Placées très probablement au fur et à mesure de la construction, elles s'adaptent parfaitement aux assises de l'appareil et, de plus, sont sculptées dans le même matériau. Leurs parentés stylistiques avec les chapiteaux du rez-de-chaussée témoignent de leur appartenance à un même milieu artistique et à une même époque d'exécution. En revanche, la disposition désordonnée de ces plaques n'est sans doute pas le fruit du hasard et E. Vergnolle pense qu'à Saint-Benoît-sur-Loire, les architectes « disposèrent les plaques afin qu'elles produisent l'effet de remplois épars, tant le goût pour les édi-

**Tour-porche.
Relief de la face nord.
Un chasseur bande
son arc contre un cerf.**

**Tour-porche.
Relief de la face nord.
Une louve allaite ses
petits.**

fices comportant de multiples *spolia* était encore vivace au début de l'art roman» (*L'art roman en France,* p. 121).

Dès la fin du siècle, les plaques perdront leur caractère isolé et seront regroupées dans des compositions continues utilisées pour le décor de façade des églises. Cette pratique sera très répandue dans la vallée de la Loire et dans d'autres régions.

À Saint-Benoît-sur-Loire, la réunion des plaques sculptées, sur la seule face nord, pose le problème de l'entrée principale de l'église. Elle reflète peut-être un changement de parti entre la construction du rez-de-chaussée de la tour, où l'entrée occidentale est mise en valeur par l'iconographie des chapiteaux, et la construction de l'étage.

Les chapiteaux de l'étage

Comparés aux chapiteaux du rez-de-chaussée, les chapiteaux de l'étage offrent des corbeilles plus minces, plus étirées en hauteur participant à l'effet d'élancement et de légèreté qui caractérise l'architecture de cette partie de l'édifice. Cependant, l'étude du décor sculpté de ces chapiteaux témoigne d'un appauvrissement de l'iconographie et d'un durcissement du style. Il est évident que le souffle de génie d'Unbertus est ici absent.

Certes, les sculpteurs de l'étage de la tour-porche travaillent encore dans l'esprit d'Unbertus. Ils reprennent les modèles du rez-de-chaussée qu'ils copient ou qu'ils transposent : chapiteaux à couronnes corinthiennes ornés d'un grand oiseau sur le cartouche, chapiteaux à grands lions ou compositions de palmettes retombantes. Néanmoins, le chapiteau corinthien qui, au rez-de-chaussée, avait servi de support aux mutations stylistiques, disparaît progressivement (il ne subsiste que six chapiteaux) et s'éloigne des modèles antiques. En revanche, et cela est positif, les tendances «plus romanes», inspirées des œuvres d'Unbertus, se développent. On remarque en particulier un certain penchant pour les métamorphoses comme les volutes qui se transforment en masques, les frises de pal-

Étage de la tour-porche. Chapiteau à couronnes corinthiennes orné d'un grand oiseau sur le cartouche.

Étage de la tour-porche. Chapiteau à composition de palmettes.

Étage de la tour-porche. Chapiteau avec un dé orné d'un masque crachant des feuillages.

Étage de la tour-porche.
Voutes et chapiteaux
à feuillages et figurés.

Étage de la tour-porche.
Chapiteaux figurés
avec lions passants.

mettes donnant naissance à des arcatures, les couronnes de feuilles remplacées par des têtes humaines ou les dés par des masques crachant des feuillages. Ce sens de la métamorphose qui transforme le végétal en géométrique ou le végétal en figures animales ou humaines, n'est pas un phénomène unique dans l'art roman. D'autres édifices de la première moitié du XIe siècle, Saint-Bénigne de Dijon, Bernay en Normandie et bien d'autres, témoignent des mêmes tendances.

La sculpture des chapiteaux de l'étage s'oriente en même temps vers une certaine schématisation des motifs. Ainsi, la volonté de simplifier le traitement du végétal conduit les successeurs d'Unbertus à réaliser de multiples combinaisons de palmettes stylisées ou des variations sur le thème de la feuille lisse.

De même, s'agissant des chapiteaux figurés, on assiste à une simplification des modèles d'Unbertus. On reconnaît par exemple le thème des lions passants, mais celui-ci est intégré dans des compositions plus aérées. Parallèlement, la préoccupation ornementale s'affirme de plus en plus, comme en témoigne un chapiteau présentant sur la face principale un personnage debout, occupant toute la hauteur de la corbeille, saisissant les volutes d'angle, tandis que des personnages, mains sur les genoux, se courbent sous les volutes.

Parmi ces chapiteaux où la tradition d'Unbertus s'efface progressivement, surgit une œuvre pleine d'avenir, remettant en cause les contraintes de l'épannelage corinthien. La corbeille de ce chapiteau est envahie sur toute sa surface par des rinceaux sinueux dans lesquels sont enchevêtrés des personnages d'angle et un animal à l'emplacement du dé central. Les volutes héritées du corinthien qui font obstacle au développement naturel des figures, ont été supprimées. L'auteur de ce chapiteau ouvrait ainsi la voie à une sculpture libérée des contraintes de l'épannelage : celle du chevet.

Le chapiteau historié, la grande création d'Unbertus, ne connaît pas la même faveur à l'étage. Deux chapiteaux seulement ont un contenu iconographique et ils ont

Étage de la tour-porche. Chapiteau à collerettes avec lions passants.

Étage de la tour-porche. Chapiteau avec un personnage debout saisissant les volutes d'angles tandis que d'autres personnages se courbent sous ces volutes.

Étage de la tour-porche. Chapiteau avec, en angle, un homme pris dans des rinceaux et un animal à l'emplacement du dé central.

été placés à l'endroit le plus sacré, sur les piles faisant face à l'abside centrale. L'un, très mutilé, représente des soldats tranchant la tête d'un personnage sans armes et le second figure des martyrs brandissant des palmes. Dans cette tour-porche symbolisant la Jérusalem Céleste, ces deux chapiteaux sembleraient évoquer la vision paradisiaque des martyrs qui ont été «décapités pour le témoignage de Jésus et pour la parole de Dieu» (*Apoc.* XX-4). Cependant, sur le chapiteau des élus, sont représentés trois personnages dont les gestes et les attitudes restent énigmatiques. Sur l'angle droit, un homme en cotte de mailles, casqué, brandit dans chaque main une épée levée tandis qu'à ses côtés se tient une petite figure au corps nu et aux cheveux longs, portant un objet difficilement identifiable. Sur la face gauche, on assiste au rituel de l'adoubement mais, au lieu d'une épée, le nouveau chevalier élève une palme. E. Vergnolle propose une interprétation subtile de ces scènes : il s'agirait d'une représentation des chevaliers morts à la guerre sainte, gagnant le paradis en combattant des païens (symbolisés par le petit personnage nu à cheveux longs), et identifiés à des martyrs. «Cette présence de guerriers parmi les martyrs évoque la réalité de l'époque; Abbon incitait déjà, comme d'autres hommes d'église de l'an mil, les fidèles du Christ à ne pas se battre entre eux mais à lutter contre les païens, et l'idée grandit au cours de la première moitié du XIe siècle, avant même que ne se concrétise l'idée de croisade» (*Saint-Benoît-sur-Loire et la sculpture du XIe siècle,* p. 134).

Ces deux chapiteaux historiés rappellent par beaucoup d'aspects la sculpture d'Unbertus, mais ils n'échappent pas à l'évolution générale qui tend vers un certain dessèchement; les corps s'allongent, les vêtements sont plus sommairement traités et les visages sont sculptés par plans heurtés. Comme les chapiteaux corinthiens, comme ceux à palmettes retombantes, ils ont été exécutés par un artiste très proche du style d'Unbertus. Les autres sculpteurs de l'étage de la tour-porche ont pris plus de libertés par rapport aux œuvres du rez-de-chaussée où les modèles d'Unbertus

Étage de la tour-porche.
Chapiteau des martyrs.
Face droite: un soldat tranche la tête d'un homme percé par l'épieu d'un autre soldat.

étaient reproduits avec une grande fidélité par ses aides. Reconnaître leur main est une tâche difficile tant leurs procédés se distinguent peu les uns des autres. Le modernisme de ces artistes ouvre la voie aux solutions proprement romanes des sculpteurs du chevet.

La datation des chapiteaux de la tour-porche

Sujet d'admiration, les chapiteaux de la tour-porche sont aussi sujet de controverse pour les historiens de l'art. Nombreux sont ceux qui ne s'accordent pas avec Éliane Vergnolle sur la date haute (1020-1035) qu'elle propose pour la réalisation de l'ensemble. S'appuyant sur des théories évolutionnistes, ils considèrent que la sculpture de la première moitié du XIe siècle ne peut être que balbutiante et maladroite. Pourtant, les œuvres d'Unbertus et celles aux tendances simplificatrices de ses successeurs ont connu une grande faveur dans des édifices construits avant 1050; on peut citer pour exemples les chapiteaux de la Trinité de Vendôme (env. 1040), Meobecq (1048), et Saint-Benoît-du-Sault en Berry (avant 1042). Ces témoignages de la diffusion des œuvres des deux niveaux de la tour-porche indiquent que les chapiteaux de l'étage ont été réalisés vers 1040 au plus tard. Ainsi, même si Gauzlin, surpris par la mort, ne put achever son œuvre, nous sommes sûrs qu'il vit au moins la sculpture d'Unbertus et qu'il dut en être satisfait !

Étage de la tour-porche.
Chapiteau des élus.
Face gauche :
rituel de l'adoubement ;
face centrale :
des martyrs debout,
palmes des vainqueurs
à la main.

2. Le chevet et le transept : la campagne de l'abbé Guillaume

« Basilica semper Virginis Mariae genitricis, in qua beatus pater Benedictus corpore quiescit, partim vetustae, partim incendio demolita, visum est abbati Guillelmo, adnitente Odilone, viro probo, ejusdem basilica aedituo, vetus demoliri, et novum opus pro vetere instaurare. »

« La basilique Sainte-Marie, dans laquelle repose le corps de saint Benoît, étant ruinée par un incendie et par la vétusté, l'abbé Guillaume décida, avec l'aide d'Odilon, gardien de la basilique, d'abattre l'ancien édifice et d'en reconstruire un neuf. »
Raoul Tortaire, *Miracula sancti Benedicti*, Livre VIII.

✣ *1. Un chevet reliquaire*

La construction du chevet et du transept, commencée entre 1067 et 1080 durant l'abbatiat de l'abbé Guillaume, poursuivie par les abbés Véran (1080-1085) et Joscerand (1085-1096), fut achevée par l'abbé Simon (1096-1108). Le 21 mars 1108, jour de la fête de saint Benoît, eut lieu le retour des reliques dans le nouveau chœur.

Tous les moyens ont été mis en œuvre pour édifier autour de la châsse de saint Benoît, un chevet reliquaire digne du fondateur du monachisme occidental et toutes les lignes de l'architecture conduisent le regard au fond du sanctuaire où est placé le mur de confession. L'harmonie des proportions, des volumes, des verticales et des horizontales, est saisissante. La lumière douce qui baigne la pierre nue participe à l'atmosphère profondément spirituelle qui se dégage de ce lieu.

Tout d'abord, le maître d'œuvre a sensiblement modifié le plan traditionnel à déambulatoire et chapelles rayonnantes en allongeant considérablement le sanctuaire, portant ainsi le nombre des travées à six, puis en construisant un déambulatoire sur lequel ouvrent quatre chapelles dont deux seulement sont rayonnantes ; les deux autres à l'entrée du déambulatoire, au Nord et au Sud, sont orientées et, correspondent dans le haut vaisseau à une travée plus marquée suggérant ainsi, du moins en plan, un second transept. À l'extérieur, deux tours surmontent la travée droite précédant les chapelles orientées. Quant au grand transept, il est très développé en largeur et sur chacun de ses bras s'ouvrent deux chapelles.

Cette interprétation du plan traditionnel, répond aux exigences de la communauté monastique et à la vénération des reliques. La présence d'un faux-transept n'est pas non plus le fruit du hasard. Il détermine une « travée reliquaire » comme

Chevet et transept vus du Sud-Est.

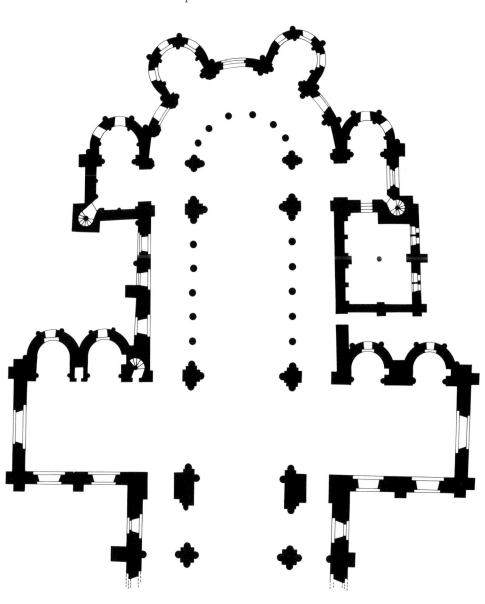

Plan du chevet et du transept de l'église abbatiale.

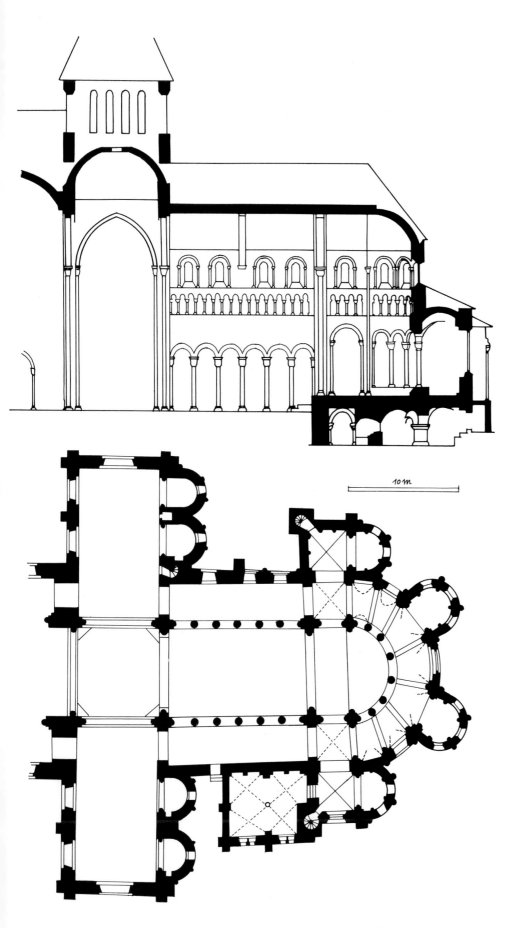

Chevet et transept : coupe longitudinale et plan.

le nomme E. Vergnolle (*Saint-Benoît-sur-Loire et la sculpture du XIe siècle*, p. 220). Cette travée met en valeur et situe dans l'architecture, au niveau des cryptes et de l'église haute, l'emplacement des reliques et de l'autel de saint Benoît. En effet, dans la crypte, les reliques sont placées au centre d'un massif de maçonnerie entouré d'un double déambulatoire précédé de la travée reliquaire. Dans l'église haute, avant l'abside, la travée s'élève au-dessus du mur de confession magnifiant ainsi l'emplacement des reliques. À l'extérieur, la travée est surmontée, au Sud et au Nord, d'une tour.

L'autel de saint Benoît était situé au centre de la travée, dans l'axe du pilier central de la crypte contenant les reliques, tandis que l'autel de la Vierge était situé au centre du chœur monastique. «La présence d'un double sanctuaire ne doit pas nous étonner. C'est une tradition monastique des grandes abbayes que de posséder ainsi deux autels dans le même axe : un autel majeur et un autel matutinal, nommé aussi *de retro*. On y célébrait la messe matutinale, après Laudes, de bon matin» (Dom J.M. Berland, *Val de Loire roman*, p. 109).

Les mêmes raisons ont conduit le maître d'œuvre de l'abbé Guillaume à juxtaposer le chœur monastique et la crypte au lieu de les superposer selon l'usage le plus fréquent à l'époque romane. La crypte se trouve ainsi sous l'abside et le déambulatoire et non sous le chœur. Il existe donc trois niveaux de sol : celui de la crypte, au-dessus celui de l'abside et du déambulatoire, et, entre les deux, le niveau du chœur monastique. Ce parti, choisi par le maître d'œuvre de l'abbé Guillaume, qui n'entraîne pas la surélévation du sanctuaire, permettait aux moines de voir le noyau de maçonnerie contenant les reliques de saint Benoît, par la double rangée de *fenestellae* ouvertes dans le mur de confession situé au fond du chœur. Afin de ne pas déséquilibrer l'harmonie architecturale, les accès de la crypte qui, en règle générale, se situent à l'entrée du chœur, à la croisée du transept, ou exceptionnellement dans la nef, se trouvent rejetés dans les collatéraux du chœur, de part et d'autre de l'abside ; il en

va de même pour les escaliers permettant d'accéder aux parties hautes du chevet. Ces escaliers relativement étroits, qui ne semblent pas avoir été prévus pour des foules importantes de pèlerins, n'ont pas fait l'objet des préoccupations de l'architecte du XIe siècle. Seul le mur de confession qui barre le haut vaisseau sur toute sa largeur, constitue le centre principal autour duquel s'organise toute l'architecture. Cette disposition des parties orientales ne fait que transposer, à l'époque romane, celle de l'église carolingienne où les reliques étaient placées dans le chœur même, devant l'autel de la Vierge.

Le décalage de niveau entre le chœur et l'abside que nous venons d'observer aurait pu se répercuter à tous les étages de l'élévation de l'église haute. Cependant, le maître d'œuvre de l'abbé Guillaume a opté pour un parti plus subtil consistant à « absorber » la dénivellation à l'étage des grandes arcades. Ainsi, le chœur se trouve encadré par une file de cinq colonnes recevant les grandes arcades, interrompue au niveau de la travée reliquaire par des piles composées qui reçoivent les arcs doubleaux déterminant cette travée et par une arcade plus large et plus haute. La file de colonnes réapparaît dans l'hémicycle, mais les arcs qu'elle supporte sont de largeur et de hauteur différentes de manière à ménager pour le regard un passage en douceur du chœur à l'abside. Grâce à ce subterfuge,

Le mur de confession.

la continuité des niveaux peut être rétablie aux étages supérieurs, et l'admirable arcature aveugle qui court au-dessous des fenêtres hautes se poursuit sans décrochement dans le chœur et dans l'abside. La continuité des deux derniers étages de l'élévation, opposée à la variété de hauteur des grandes arcades, équilibre le changement de rythme des lignes verticales en soulignant les lignes horizontales. L'architecte accorde en outre, une nette préférence aux horizontales qui conduisent immanquablement le regard vers l'endroit le plus sacré de l'édifice. Dans ce but, il refuse les solutions les plus courantes de la plastique murale romane, tels les supports composés qui déterminent des travées régulières, les réservant pour délimiter la croisée du transept ou la travée reliquaire. En revanche, il marque sa prédilection pour les colonnes qui, à l'instar des basiliques paléochrétiennes, créent une continuité horizontale et échappent à toute scansion verticale.

Comme dans les basiliques paléochrétiennes également, l'abondance de lumière est surprenante. En effet, dans ce chevet reliquaire, toute l'architecture semble avoir été conçue pour laisser pénétrer la lumière. Les colonnes du rond-point s'écartent d'1 m 60 dans l'axe, afin que la vaste baie du pourtour du déambulatoire, qui s'ouvre entre les deux chapelles rayonnantes, vienne illuminer le sanctuaire. De même, dans l'abside, l'architecte a rapproché les fenêtres hautes pour inonder de clarté cette partie de l'édifice. Dans le chœur, les baies sont un peu plus espacées, mais tout aussi vastes. Cette volonté de fournir à cette partie de l'édifice, un éclairage direct, abondant comme dans les basiliques charpentées, risquait de mettre l'équilibre de la construction en péril, d'autant plus que la voûte du vaisseau central du chœur s'élève à environ 18 m pour une largeur de près de 8 m. Le choix de cette formule annonce par son audace les grandes réalisations du XIIe siècle. Transept et chœur sont voûtés en berceau plein cintre et, dans l'architecture romane, hormis en Bourgogne et en Nivernais, il existe peu d'exemples de ce type de voûte reposant sur des murs largement percés de fenêtres, malgré les différentes tentatives d'assurer l'éclairage direct des hauts vaisseaux voûtés à la fin du XIe siècle.

Novateur, audacieux, l'architecte de l'abbé Guillaume l'est aussi dans sa conception du déambulatoire. De dimensions moyennes, les proportions sont cependant vastes, l'ensemble clair et aéré. Trois baies éclairent le déambulatoire, celle du centre étant légèrement décalée vers le Nord. Elles s'ouvrent directement sous un arc formeret et occupent toute la largeur des travées. Dans la partie tournante, la voûte en berceau à pénétration se relève légèrement vers l'extérieur afin de ne pas gêner l'ouverture des baies et de laisser pleinement pénétrer la lumière.

Le bas-côté Sud et, au fond, l'entrée de la crypte.

Le chœur et ses colonnes. Vue prise du déambulatoire (axe Nord-Est-Sud-Ouest).

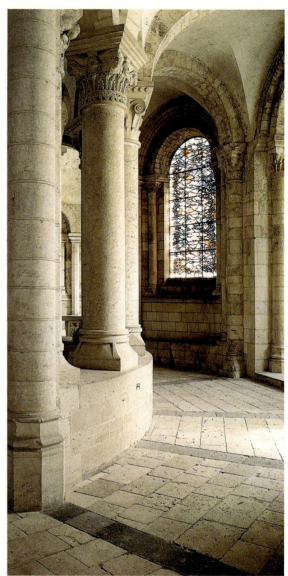

Les chapelles sont aussi largement éclairées par trois fenêtres. Une arcature montée sur un haut soubassement, jadis décoré de rinceaux, entoure les baies et allège le mur.

Le déambulatoire est plus articulé que le chœur et l'abside. Les arcs d'entrée des chapelles retombent sur des colonnes engagées, les formerets sur des colonnes en délit, et les baies des absidioles sont enveloppées par une arcature.

Les niveaux sont, comme dans le chœur, parfaitement étudiés. Les supports engagés reposent sur le sol, les colonnes encadrant les fenêtres des absidioles et de la partie tournante s'appuient sur une banquette de même hauteur. Enfin, toutes les

Le fond de l'abside et le déambulatoire avec une des chapelles rayonnantes.

Le déambulatoire côté sud.

Le sanctuaire. Vue générale dans son état actuel.

Le chœur.
La colonnade sud et le dallage du sanctuaire.

baies, du déambulatoire et des absidioles, sont ouvertes au même niveau. Il existe donc une savante régularité et un parfait équilibre entre les différents éléments architecturaux.

Les restaurations du sanctuaire

Tel qu'il s'offre à nous aujourd'hui, le sanctuaire ne paraît pas avoir subi les injures du temps. Pourtant, il a été l'objet, dès la fin du Moyen Age, de nombreuses transformations. L'abbé Jean d'Esclives aurait entrepris, dès 1481, la restauration des voûtes des collatéraux du chœur et les travaux auraient été achevés par son successeur Jean de La Trémoille en 1496. Ce sont en effet les armes de ce dernier qui sont sculptées à la clé de voûte placée sous la tour méridionale du faux-transept. On peut également attribuer à cette époque la fenêtre à réseau flamboyant ouverte sous cette voûte dans le mur sud. Cependant, les travaux les plus importants se déroulèrent au XVIIe siècle, durant la réforme mauriste. L'église fut nettoyée et blanchie et la modénature du déambulatoire en grande partie refaite. Du côté nord, il ne subsiste plus de trace des supports romans ; du côté sud, seules les colonnes de la travée reliquaire et deux colonnes de l'hémicycle furent épargnées. Dans le déambulatoire, quelques supports engagés furent conservés. La plupart des chapiteaux des chapelles rayonnantes furent remplacés et seuls quelques chapiteaux des fenêtres échappèrent aux restaurations. L'événement majeur de ce siècle, fut la construction d'un grand mausolée, haut de 18 mètres, qui eut pour conséquences la destruction de l'autel de saint Benoît consacré en 1108, et l'aménagement du sol du sanctuaire en paliers montant par degrés successifs jusqu'au mausolée, ensevelissant ainsi le mur de confession. De plus, le poids excessif du mausolée nécessita le renforcement des supports de la crypte qu'il fallut envelopper dans des massifs de maçonnerie.

Les restaurations du XIXe et du XXe siècles eurent pour but de redonner au sanctuaire sa disposition romane et de faire disparaître les transformations de l'époque classique. Il serait trop fastidieux de les énumérer ici. Retenons simplement que le mausolée du XVIIe siècle fut vendu aux enchères en 1861 et que les travaux commencèrent sous la direction de l'architecte Lisch. Les supports de l'hémicycle, refaits au XVIIe siècle, furent remplacés par des colonnes monolithes, les colonnes du chœur reprises, la voûte du chœur et le cul-de-four de l'abside refaits, l'abside et les chapelles du déambulatoire entièrement remaniées. Au cours de ces travaux de restauration, un certain nombre de chapiteaux fut remplacé. Ainsi, dans le chœur, six chapiteaux à quatre faces et deux à trois faces sont modernes ; dans le déambulatoire, les deux chapiteaux situés à l'entrée de la chapelle rayonnante sud et cinq chapiteaux de l'hémicycle sont également neufs.

Les fouilles organisées en 1958-59 ont été déterminantes puisqu'elles ont permis de faire disparaître les paliers aménagés au XVIIe siècle et de réaménager le chœur dans son état primitif, redonnant ainsi leur véritable valeur à la travée reliquaire et aux ruptures des niveaux de l'élévation.

Le dallage du sanctuaire

On peut admirer, entourant le maître-autel, un magnifique pavement en *opus sectile,* composé d'éléments de marbre et de porphyre, réunis en figures géométriques variées.

Le dallage du sanctuaire. Détail.

Les fouilles de 1958-59 ont mis en évidence son appartenance à l'église carolingienne. L'abbé Gauzlin (1004-1030) l'avait fait venir de *Romania* (Empire Byzantin) lors de travaux d'embellissement de l'ancienne église carolingienne Sainte-Marie. Ce pavement, sans nul doute encore très admiré au XIIe siècle, fut remployé lors de la construction du chœur actuel.

Démembré au XVIIe siècle et établi sur trois paliers successifs conduisant au grand retable édifié dans l'abside, il a retrouvé sa disposition d'origine en 1962 lors des travaux de restitution du chœur dans son état primitif.

Le transept

Le transept est très développé en largeur et sur chacun de ses bras s'ouvrent deux absidioles orientées. L'élévation est plus simple que dans le sanctuaire, les surfaces nues sont abondantes et, seules les grandes baies placées sous le départ des voûtes en berceau plein cintre, animent le mur.

Cette partie de l'édifice a subi de nombreuses restaurations, en particulier la croisée et le bras sud qui étaient les plus menacés ainsi que l'indiquent un rapport de Mérimée en 1841 et les relevés de Delton à la même date. La façade du bras sud a été presque entièrement refaite, la voûte et

**La crypte de l'abbé Guillaume.
Vue du côté sud.**

le mur occidental également. À toutes les fenêtres, Delton fit poser des chapiteaux et des bases neuves. Quelques années plus tard, l'architecte Eugène Millet, soucieux de dégager les chapelles orientées du bras sud, détruisit la travée occidentale de la « crypte Saint-Mommole » et de la sacristie située au niveau supérieur ; en outre, il fit reconstruire entièrement les deux chapelles et les orna de chapiteaux neufs.

À la fin du XIXe siècle, la croisée du transept fut, elle aussi, restaurée. L'architecte Lisch reconstruisit totalement les quatre piles en refaisant les arcs suivant un tracé brisé alors qu'à l'origine ils étaient en plein cintre, remplaça les huit chapiteaux de la croisée et dix-neuf chapiteaux du clocher. Les huit chapiteaux de la croisée sont conservés dans le musée lapidaire, ainsi qu'un chapiteau de la chapelle nord du bras sud et deux autres du déambulatoire. Beaucoup d'autres ont disparu et leur moulage également. Le sculpteur Libersac, à qui avaient été confiés les travaux, avait en effet pris soin de mouler les originaux pour pouvoir en exécuter des copies fidèles.

La crypte de l'abbé Guillaume

La crypte offre aujourd'hui un aspect très remanié. Le poids du gigantesque mausolée, installé au XVIIe siècle dans le chœur, avait en effet considérablement affaibli les piliers, les voûtes et les murs, nécessitant, dès le XIXe siècle, de nombreuses réfections ou consolidations.

Elle s'étend sous le faux-transept, l'abside et le déambulatoire de l'église supérieure. La disposition architecturale s'organise autour et en fonction du pilier central, évidé, où est conservée la châsse du saint. De ce pilier, rayonnent les arcs doubleaux retombant sur les larges tailloirs de huit colonnes cylindriques délimitant l'abside. De ces mêmes colonnes, prennent naissance d'autres arcs doubleaux qui vont reposer sur les colonnes engagées du mur extérieur, formant le berceau annulaire du déambulatoire. Deux chapelles rayonnantes seulement ouvrent sur ce déambulatoire. Il existait, jusqu'en 1865 où elle fut démolie, une petite chapelle d'axe carrée située entre les deux chapelles. Les relevés et dessins de l'architecte Lisch nous montrent une construction du début de l'art gothique, mais qui peut avoir remplacé une construction plus ancienne dont la présence aurait justifié le plan à deux chapelles rayonnantes.

Le faux-transept qui détermine la travée reliquaire possède une chapelle orientée ouvrant sur chaque bras.

Le mur occidental est percé de neuf ouvertures permettant aux pèlerins, exclus habituellement de la crypte, de venir prier saint Benoît.

La châsse exposée dans le pilier central, au-dessus de l'autel de la confession, date de 1964.

La crypte de l'abbé Guillaume.
Vue générale de la galerie, autour du pilier de la Confession.

La crypte
« Saint-Mommole ».

La crypte « Saint-Mommole »

Contiguë à la crypte de l'abbé Guillaume, sur le flanc sud du chevet, cette salle forme un rectangle divisé en deux nefs de trois travées, voûtées d'arêtes, retombant au centre sur des colonnes et, latéralement, sur des pilastres engagés. Il existait une quatrième travée, supprimée au XIXe siècle lors des travaux de reconstruction des chapelles du bras sud du grand transept.

Connue sous le nom de crypte « Saint-Mommole », sa construction n'appartient vraisemblablement pas à cet abbé du VIIe siècle et, bien que ce bâtiment soit ancien, il est impossible de le faire remonter à une date aussi haute. Les joints épais, les tailloirs ornés de cartouches dits carolingiens, permettent de situer la construction de cette salle à la fin du Xe ou au début du XIe siècle. Les bases en tronc de pyramide ou à trois tores jointifs de diamètre décroissant, les chapiteaux, dont les angles abattus soulignés par des baguettes, constituent le seul décor comme à Vignory, à Saint-Ayoul de Provins ou à San Salvador de Leyre en Espagne, confirment cette datation.

On peut identifier cette salle au premier bâtiment de pierre mentionné par les textes, le *gazofilatium* destiné à abriter du feu les objets précieux, commencé sous l'abbatiat d'Abbon par Geoffroi, gardien du trésor, et achevé au début de l'abbatiat de Gauzlin.

Cette salle devait sans nul doute revêtir une importance considérable puisqu'elle a été conservée lors de la construction du chœur de l'abbé Guillaume et que le mur de confession coïncide, en plan, avec l'extrémité orientale de cette salle. Peut-être même, l'adaptation du chevet à cet édifice a-t-elle justifié le parti des chapelles orientées qui ménage un accès depuis la crypte de l'abbé Guillaume. On ignore, malheureusement quels étaient les liens entre cette salle et le chevet préroman puisque, malgré les fouilles de 1958-1959, le plan complet du chevet et les extensions orientales des cryptes demeurent du domaine de l'hypothèse.

2. La sculpture du chevet et du transept

La sculpture, omniprésente dans la tour-porche, se fait beaucoup plus discrète dans les parties orientales de l'édifice. Elle complète l'architecture sans la transcender. Les chapiteaux, souvent de petite taille, pour s'adapter aux colonnettes des fenêtres hautes ou de l'arcature aveugle, parfois plus volumineux, mais placés très haut, lorsqu'ils sont portés par des colonnes engagées, n'occupent pas une place prépondérante dans l'architecture. Ce changement de rapport de valeur entre l'architecture et la sculpture n'enlève rien aux qualités intrinsèques de ces chapiteaux d'une grande richesse iconographique et stylistique.

Les chapiteaux de la croisée du transept

Les piles de la croisée du transept ont été entièrement refaites au XIXe siècle et, les chapiteaux, très abîmés, ont été déposés et remplacés par des copies. Consolons-nous, les originaux sont exposés dans le musée lapidaire de l'abbaye où il est plus facile de les apprécier à hauteur du regard !

Ces chapiteaux, qui ont suscité de nombreuses interrogations au sujet de leur datation, appartiennent à la campagne de l'abbé Guillaume, mais par bien des aspects, ils s'apparentent encore aux œuvres des successeurs d'Unbertus. Ils sont à la jonction de deux styles, celui de l'étage de la tour-porche et celui du chevet et des absidioles du transept.

Parmi ces huit chapiteaux, deux sont ornés de végétaux, deux autres de figures humaines mêlées à des végétaux et à des animaux, un seul est sculpté de protomes humains et les autres, historiés, représentent des anges ou des miracles de saint Benoît.

D'emblée, nous nous trouvons confrontés ici à une conception différente du décor monumental. Le parti colossal du rez-de-chaussée de la tour-porche est abandonné pour des proportions plus légères et des dimensions plus restreintes. En outre, la profusion de l'étage fait place à plus de clarté. L'épannelage à deux couronnes est délaissé au profit d'un épannelage plus simple offrant au sculpteur des surfaces plus larges, permettant de déployer de grandes figures ou de dérouler des scènes sur les trois faces de la corbeille. En revanche, l'articulation très marquée des dés et des angles, l'échancrement profond des abaques, restent encore dans la tradition d'Unbertus. Cependant, cet attachement aux formules du passé n'est pas servile car il ne représente, pour les sculpteurs du transept, qu'un cadre pour leurs propres expériences au cours desquelles de nouvelles tendances se définissent.

Ainsi, le chapiteau orné de protomes humains se situe dans la tradition des œuvres d'Unbertus, par son épannelage, le

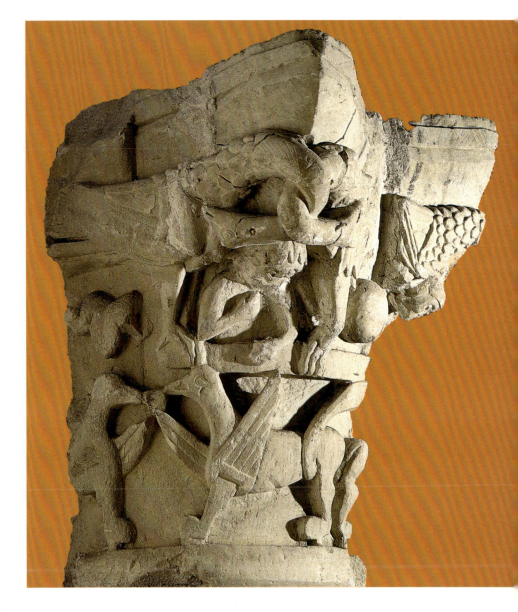

Chapiteau de la croisée du transept (déposé au musée lapidaire). Figures humaines et griffons.

découpage de la corbeille en cartouche vertical, la couronne végétale et les motifs d'angle. En revanche, le cloisonnement rigoureux a disparu au profit d'une subtile liaison des différents éléments et d'un dynamisme, affirmé par le jaillissement des protomes et la découpe des feuilles. De même, deux chapiteaux à décor végétal, présentant des volutes inversées et des palmettes retombantes réparties sur trois niveaux, se réfèrent aux modèles de l'étage de la tour mais la saillie généralement marquée par la couronne intermédiaire a disparu, modifiant ainsi considérablement l'équilibre de la composition. Deux chapiteaux figurés, à trois registres où se mêlent personnages, oiseaux et monstres, évoquent aussi les solutions du passé; cependant, les limites strictes entre chacun des registres ne sont plus respectées et les différents niveaux se confondent, comme se confondent les différentes figurations : personnages dont les pieds ou les mains sont posés sur des monstres ailés, coiffés aux angles de cous d'oiseaux entrelacés, tiges de palmettes s'enroulant autour des corps des animaux ou des êtres humains.

Cette évolution de la sculpture vers des compositions moins rigoureusement cloisonnées s'observe également sur les chapiteaux historiés. L'un, appelé à tort « chapiteau des séraphins », figure une série de personnages occupant toute la hauteur de la corbeille. Aux angles, des atlantes ou des

Chapiteau de la croisée du transept (déposé au musée lapidaire). Homme étranglé debout sur des griffons.

Chapiteau de la croisée du transept (déposé au musée lapidaire). Protome humain.

orants, placés dans des mandorles semblent soutenir les enroulements de la volute. Sous leurs pieds, repose un corps allongé. Des personnages, sur les faces, paraissent porter les mandorles. Alors que les figures placées aux angles des corbeilles des chapiteaux de la tour-porche se trouvaient isolées, elles participent sur ce chapiteau à la composition générale : les personnages d'angle semblent porter les volutes, mais les mandorles où ils se trouvent inscrits sont ellesmêmes portées par les personnages situés sur les faces.

La signification de cette représentation n'est pas évidente. Le sculpteur a peut-être voulu évoquer deux morts qui ressuscitent, accueillis par deux anges les entourant d'une mandorle de gloire. Seraient-ce les deux témoins du Christ mis à mort par la bête de l'Apocalypse (*Apoc.* II, 1-11) comme le suggérait dom Claude Jean-Nesmy ? (*Saint-Benoît-sur-Loire*, p. 11). Dom J.M. Berland propose une autre interprétation séduisante. Il s'agirait d'une illustration du sort des justes, évoqué par le livre de la Sagesse (III, 1-3) et lu à l'office des martyrs : « Les âmes des justes sont dans la main de Dieu ; aux yeux des insensés ils ont paru mourir, leur sortie de ce monde a passé pour un malheur et leur départ d'auprès de nous pour un anéantissement, mais ils sont dans la paix » (*Val de Loire roman*, p. 135).

Les figures de ce chapiteau, très stylisées, exécutées avec une certaine brutalité, sont à l'origine de certaines théories, comme celle de Marcel Aubert selon laquelle cette sculpture appartiendrait aux temps « barbares » de l'abbé Gauzlin. L'évolution dans la conception de la composition que nous avons déjà notée, devrait à elle seule réfuter cette théorie. En outre, la stylisation des personnages ne constitue pas nécessairement le caractère d'une sculpture primitive et maladroite, elle est au contraire le signe d'une valeur expressive nouvelle. Le relief brièvement dégagé, les visages construits par plans larges et heurtés, le modelé sommaire, les plis des vêtements traduits par des incisions parallèles, témoignent du souci d'aller à l'essentiel afin d'exprimer d'une manière claire et suggestive le message éminemment spirituel que le

Chapiteau dit « des Séraphins », provenant de la croisée du transept (déposé au musée lapidaire). Détail de l'angle droit.

Chapiteau dit « des Séraphins », provenant de la croisée du transept (déposé au musée lapidaire). Face centrale et angle gauche.

sculpteur cherche à transmettre. Cette force suggestive, obtenue par la déformation et la stylisation des figures, est le propre de l'art roman et elle ne doit pas être confondue avec la maladresse ou la naïveté.

La recherche de la valeur expressive s'observe également sur un autre chapiteau historié illustrant deux épisodes de la vie de saint Benoît : le miracle des oblates et le mauvais prêtre Florentius écrasé par l'église. Le premier miracle est évoqué sur la face latérale droite et la face principale du chapiteau. Ce miracle, comme tous ceux représentés sur les chapiteaux du chevet et du transept a été relaté par saint Grégoire, vers 593, dans le deuxième livre de ses *Dialogues,* consacré à la vie de saint Benoît.

Deux moniales, de famille noble, vivaient dans leur propriété non loin du monastère. Un homme pieux s'était mis à leur service pour les nécessités de la vie à l'extérieur....Ces religieuses ne savaient pas réfréner leur langue et irritaient souvent par des propos blessants cet homme pieux qui leur rendait service. Il supporta cela longtemps puis se rendit chez l'homme de Dieu et lui rapporta ce qu'il avait à souffrir. Aussitôt, Benoît leur fit dire : « corrigez votre langue ; si vous ne changez pas, je vous excommunie ». Il ne prononça pas une sentence d'excommunication, il les menaçait seulement. Mais elles ne changèrent en rien leur conduite. Peu après, elles moururent et furent ensevelies dans l'église. Lorsqu'on y célébrait la messe et que le diacre, selon l'usage proclamait : « si quelqu'un ne communie pas, qu'il sorte ! » leur nourrice qui avait

Chapiteau historié de la croisée du transept (déposé au musée lapidaire).
Le miracle des oblates.

l'habitude d'apporter pour elles l'offrande au Seigneur, les voyait quitter leur tombe et sortir de l'église. Le fait s'étant reproduit à plusieurs reprises, elle se souvint de l'avertissement que leur avait fait l'homme de Dieu et dans son chagrin le lui fit savoir. Aussitôt, celui-ci donna de sa main une offrande en disant : « allez et faites présenter cette offrande au Seigneur pour elles ; et désormais, elles ne seront plus exclues de la communion. » Par la suite, on ne les vit plus quitter l'église, ce qui montre avec évidence qu'elles étaient désormais entrées dans la communion du Seigneur (*Dialogues de saint Grégoire*, II, ch. 23).

Le sculpteur a interprété librement le récit. Sur la face latérale, les deux ancelles de Dieu sont couchées dans leur tombeau orné d'arcatures, les yeux grands ouverts, prêtes à sortir, tandis que les fossoyeurs essayent de maintenir la pierre tombale sur elles, sans y parvenir. L'un deux, à moins qu'il ne s'agisse du diacre, vient supplier saint Benoît d'intervenir auprès de Dieu. Sur la face principale, le Christ est représenté, occupant toute la hauteur de la corbeille, à ses côtés, se tient saint Benoît, placé sous la volute d'angle. Le saint apparaît en médiateur à gauche du Christ.

La stylisation des figures n'est pas poussée à l'extrême comme sur le chapiteau précédent car il s'agit ici vraisemblablement d'un autre sculpteur travaillant le relief et le modelé d'une manière moins brutale et moins simplificatrice. Toutefois, il poursuit le même objectif et parvient à donner une

Chapiteau historié de la croisée du transept (déposé au musée lapidaire). Le Christ bénissant, à sa gauche, saint Benoît.

extraordinaire intensité expressive à ses figures en dégageant l'essentiel. Sans craindre les disproportions, il met l'accent sur certaines parties du corps pour éclairer la signification des scènes ou pour mettre en valeur la spiritualité du thème. Ainsi, dans la scène de la face latérale, l'accent est mis sur les yeux ouverts des ancelles et l'effort des fossoyeurs. Sur la face principale, le sculpteur intensifie la scène en accordant au Christ un large visage plein de bonté dans son nimbe crucifère, et en agrandissant démesurément les mains, la droite bénissante et la gauche ramenée sur la poitrine.

Sur la face latérale gauche, le sculpteur a représenté une architecture extraordinaire à arcatures et tourelles. Par les fenêtres apparaissent six visages curieux ou inquiets qui observent une scène étrange se déroulant sous l'arcade centrale. Un homme se contorsionne, comme écrasé par le poids de l'arcature qui le surmonte. Certains auteurs ont voulu y voir la représentation de la mort de Samson, ébranlant les colonnes du temple de Dagôn, au grand effroi des Philistins. Cependant, il s'agit plus vraisemblablement de la mort du mauvais prêtre Florentius (*Dialogues de saint Grégoire*, II, ch. 8). Florentius, si envieux de saint Benoît, voulut l'empoisonner puis pervertir les âmes de ses religieux et celle du saint, en faisant rentrer sept jeunes filles nues dans les jardins du monastère. Saint

Chapiteau historié de la croisée du transept (déposé au musée lapidaire).
La mort du prêtre Florentius.

Chapiteau historié de la croisée du transept (déposé au musée lapidaire).
La mort du prêtre Florentius. Détail : trois visages de ceux qui observent la scène.

Benoît partit alors vers le Mont-Cassin à la grande satisfaction de Florentius. Ce dernier ne put se réjouir trop longtemps, il trouva la mort, entraîné dans la chute subite de la terrasse où il se tenait. Le corps contorsionné de Florentius, les bras dégagés du corps qui expriment l'effort, la tête désarticulée qui ploie sous le poids, les regards des moines qui convergent vers le centre de l'action, créent une remarquable mise en scène, une véritable dramaturgie. L'irréalisme des gestes et des proportions, loin d'être un signe de maladresse ou d'archaïsme, sert à suggérer l'intensité dramatique.

Un chapiteau, très abîmé et très incomplet, représente diverses activités populaires ou peut-être le faux-miracle de la cuisine. *L'homme de Dieu jugea bon de faire fouiller la terre en un certain endroit. En creusant assez profondément, les frères trouvèrent une idole de bronze. Sur le moment, sans y penser, ils la jetèrent dans la cuisine. Du feu en jaillit aussitôt et, aux yeux de tous, le bâtiment de la cuisine s'embrasa. En lançant de l'eau pour l'éteindre, les frères faisaient grand bruit. Attiré par ce tumulte, l'homme de Dieu arriva. Il se rendit compte que le feu existait dans les yeux des frères mais non dans les siens. Il inclina la tête pour prier puis rappela à eux les frères troublés par un feu imaginaire, leur faisant remarquer qu'aucune trace de feu ne se montrait dans la cuisine. Alors, ils constatèrent que le bâtiment était intact et que les flammes projetées par le vieil adversaire n'existaient pas* (Dialogues de saint Grégoire, II, ch. 10).

Sur la face gauche un jardinier au repos est appuyé sur sa bêche plantée en terre et sur la face principale, un cuisinier remue le contenu d'un grand chaudron tandis que son aide récure une écuelle. Un marmiton appuyé sur un grand pilon occupe la face droite. On remarque sur ce troisième chapiteau historié, la même volonté d'unifier et de décloisonner les scènes en n'isolant plus les personnages d'angle comme à la tour-porche. Les visages épais et à peine dégrossis sont très éloignés des visages du chapiteau du miracle des oblates, mais, l'irréalisme des gestes ou des proportions et les attitudes suggestives participent à cet esprit qui préside aux «mises en scène» des chapiteaux historiés du transept.

Chapiteau historié de la croisée du transept (déposé au musée lapidaire). Le jardinier et le cuisinier.

Les sculpteurs du chevet et des absidioles du transept dont l'art est à la fois plus raffiné et plus narratif n'atteindront jamais cette formidable schématisation expressive.

Les chapiteaux du chevet et des chapelles du bras nord du transept

La sculpture des chapiteaux de cette partie de l'édifice apparaît en rupture avec le passé par le développement sans précédent de l'iconographie autant que par les choix formels. Toutefois, les chapiteaux historiés voisinent avec des chapiteaux ornementaux sculptés de motifs végétaux ou de thèmes figurés qui prolongent les expériences de la tour-porche. Ils connaîtront une grande fortune, particulièrement dans le Berry, alors que les chapiteaux historiés seront rarement imités.

Les chapiteaux ornementaux

Parmi les chapiteaux ornementaux du chevet et du transept, on distingue deux groupes très différents. Le premier est formé par les chapiteaux des parties basses, le second par les chapiteaux des fenêtres hautes.

Les chapiteaux ornementaux des parties basses du chevet et du transept offrent un ensemble homogène bien défini qui s'inspire du répertoire de la tour-porche. Les emprunts à l'Antiquité constituent toujours l'une des constantes de cette sculpture, cependant les références des sculpteurs ne sont pas les mêmes que celles d'Unbertus.

Les corbeilles des chapiteaux sont ornées de motifs végétaux et de thèmes figurés résolument décoratifs tels que lions affrontés, singes, oiseaux.

Un nouveau type d'ornementation végétale apparaît au chevet, principalement sur les petits chapiteaux des fenêtres du déambulatoire, des chapelles rayonnantes et des chapelles orientées : un anneau formant comme un second astragale coupe la corbeille et sert de support à une frise formée de palmettes retombant alternativement devant ou derrière l'anneau, en appuyant la pointe de leurs lobes sur l'astragale. La partie supérieure de la corbeille présente divers motifs, soit une seconde frise de palmettes, soit des oiseaux stylisés dont les pattes s'appuient sur la collerette inférieure. Ce type de composition végétale a connu une telle fortune dans le Berry, dès la fin du XIe siècle et jusqu'à une époque avancée du XIIe siècle, qu'il a été désigné sous le nom de « collerette berrichonne ».

Les grands chapiteaux n'utilisent que rarement ce motif. Leur corbeille comporte généralement deux registres bien diffé-

Chapiteau à « collerette berrichonne » du chevet.

Chapiteau à « collerette berrichonne » du chevet.

renciés, un registre inférieur composé d'une couronne végétale et un registre supérieur sculpté de thèmes figurés, protomes ou lions. Parfois, la zone supérieure est ornée de motifs végétaux de même aspect que ceux de la couronne sans que la distinction entre les deux registres en soit altérée.

Ce souci de lisibilité se ressent également dans le traitement des végétaux. Le nombre des palmettes diminue et elles se découpent ainsi avec plus de netteté sur le fond nu. Les fragments de frise conservés dans les chapelles du déambulatoire offrent les mêmes tendances : puissance et netteté des palmettes plus schématisées. Ce traitement s'accompagne parfois d'une certaine sécheresse qui éloigne les motifs du modelé très plastique des acanthes d'Unbertus mais qui gagne en clarté et confère aux corbeilles un caractère plus monumental.

Les thèmes figurés qui occupent le registre supérieur présentent le même souci de clarté et de lisibilité. Certains thèmes, comme celui des lions affrontés, étaient déjà présents au rez-de-chaussée de la tour-porche. Cependant, la relation entre les divers éléments est conçue différemment comme on peut l'observer sur un chapiteau de l'hémicycle où l'unification de chaque registre, et particulièrement du registre supérieur, est mise en évidence par les masques et les lions courbés sous l'abaque qui soulignent l'horizontalité. Enfin, le registre supérieur des chapiteaux s'enrichit de nouveaux motifs qui connaîtront, comme la « collerette berrichonne », une grande fortune. Ainsi, dans le déambulatoire, un chapiteau porte sur les angles supérieurs des protomes humains abrités sous de grosses coques végétales formant une sorte de capuchon. Ce motif sera repris maintes fois en Berry, particulièrement à Neuvy-Saint-Sépulcre, à Germigny-l'Exempt et à La Celle-Bruère.

Deux chapiteaux du chevet présentent de grandes figures librement déployées sur les corbeilles. L'un, conservé au musée, provenant du déambulatoire, est sculpté de grands singes accroupis aux angles. L'autre se trouve dans le chœur, du côté sud, et montre des personnages nus mêlés à des rinceaux. Libérées des contraintes structu-

Chapiteau du déambulatoire, à protomes coiffés de coques végétales.

Chapiteau du déambulatoire (déposé au musée lapidaire). Figures humaines et grands singes aux angles.

Chapiteau du chœur, côté sud. Personnages nus mêlés à des rinceaux.

relles, du cadre rigoureux des cartouches, des couronnes ou des volutes, les figures occupent désormais toute la hauteur de la corbeille et se meuvent avec aisance. La remise en question de la structure du chapiteau, et notamment du rôle des volutes, amorcée sur un chapiteau de l'étage de la tour-porche, abordée à nouveau à la croisée du transept, se concrétise ici. Mais tandis que sur le chapiteau représentant des singes, la clarté de la composition s'impose par la répartition des masses en fort relief qui souligne les angles et les faces, sur le chapiteau aux personnages dans des rinceaux, ni le relief, ni les figures ne viennent déterminer de rigoureux axes de symétrie.

De nouveaux artistes apparaissent aux chapiteaux des fenêtres hautes du chœur et du transept, œuvrant durant la dernière tranche de travaux, autour de 1100, probablement peu avant la consécration de 1108. Ces chapiteaux, tous ornementaux, rompent avec la tradition du décor monumental de Saint-Benoît-sur-Loire. Les thèmes, masques crachant des feuillages, serpents, personnages accroupis, lions, s'organisent sans respect des points forts du chapiteau, sur des épannelages inarticulés. La qualité de ces œuvres est certes indéniable, le relief bien maîtrisé et la combinaison des formes particulièrement esthétique. Cependant l'esprit est ici bien différent des œuvres des parties basses ; la longue étape du XIe siècle est achevée.

Chapiteau d'une fenêtre haute du chœur.
Petit lion accroupi.

Chapiteau d'une fenêtre haute du chœur.
Petit lion prêt à bondir.

Parmi ces chapiteaux, on remarquera tout particulièrement une série présentant des personnages accroupis, accrochés à des rinceaux ou des êtres humains luttant avec des aigles ou des lions, dans diverses attitudes d'effort remarquablement exprimées.

Les chapiteaux historiés

Les chapiteaux historiés du chœur et des absidioles du bras nord du transept offrent une conception nouvelle de la corbeille, déjà en germe sur les chapiteaux de la croisée du transept. Le sculpteur supprime toutes les articulations du bloc afin que les figures, libérées des contraintes de l'épannelage, puissent évoluer sans entraves sur les trois faces de la corbeille à la manière d'une frise. Dans la plupart des cas, il supprime le dé pour obtenir un abaque rectiligne ne conservant sur les angles que des petits motifs végétaux ou des masques indépendants. Les compositions, encore confuses à la croisée du transept, tendent ainsi à s'aérer et à s'exprimer avec clarté sur un fond nu.

Deux sculpteurs au style très différent ont œuvré à ces chapiteaux. L'un exécute le chapiteau de la Chute et celui du sacrifice d'Abraham. Il s'inscrit par la rusticité des formes et leur schématisation dans une tradition régionale représentée par les plaques

Chapiteau historié du chœur.
Le péché originel.

sculptées (Cormery, Selles-sur-Cher) qui est également celle des chapiteaux de la croisée du transept. Le second réalise un nombre plus important de chapiteaux : chapiteaux des miracles de saint Benoît, Daniel entre les lions, le Christ debout et bénissant, et un certain nombre de chapiteaux de l'arcature aveugle. Ce groupe principal, très différent du précédent, plus raffiné, peut difficilement se rattacher à d'autres ensembles ligériens.

• *Les chapiteaux de la Chute et du sacrifice d'Abraham*

Ces deux chapiteaux se font face et reçoivent l'arc méridional de la travée reliquaire. L'un met en relief la désobéissance, l'autre évoque l'obéissance et la soumission à la volonté de Dieu.

Sur le chapiteau de la Chute, sont représentées trois scènes du chapitre 3 de la Genèse : la tentation, la chute et l'expulsion du paradis. Sur la face principale, Adam et Ève sont placés de part et d'autre de l'arbre de vie où s'enroule le serpent qui tend vers Ève le fruit qu'il tient dans sa gueule. Dieu, sur la face droite, leur présente un linge pour couvrir leur nudité. À gauche, Adam et Ève sont chassés du paradis, non par un ange, mais par Dieu lui-même qui tient un livre richement orné à la main gauche. Les volutes ont été remplacées par des serpents grimaçants dont les corps longent l'abaque.

Chapiteau historié du chœur.
Le sacrifice d'Isaac.

En face du chapiteau d'Adam et Ève est représenté le sacrifice d'Abraham. Isaac, les yeux bandés, est assis sur un autel (il préfigure en effet le sacrifice du Christ). Abraham brandit le couteau, prêt à immoler son fils à Dieu, mais un ange, surgissant d'un nuage placé près de la volute d'angle, arrête le geste d'Abraham et dénoue le bandeau d'Isaac. Sur la face latérale droite, Abraham, accompagné d'Isaac, sacrifie un bélier sur un autel.

Les personnages de ces deux chapiteaux, trapus, aux corps schématisés, aux visages sculptés par larges plans heurtés, aux attitudes et aux gestes nerveux et expressifs, évoquent, bien qu'ils aient été exécutés par une main différente, les chapiteaux historiés de la croisée du transept. L'intensité dramatique exprimée par l'exagération de certains gestes ou par l'éclairage insistant porté sur certains éléments, comme le couteau d'Abraham ou le serpent de la Chute, poursuit également cette même tradition.

Ces deux chapiteaux aux thèmes complémentaires, de la Chute, opposée au sacrifice d'Abraham qui préfigure le sacrifice du Christ et la Rédemption, étaient peut-être complétés par d'autres chapiteaux historiés. Cependant, de nombreuses sculptures de l'hémicycle et des grandes arcades du chœur ayant disparu, il paraît difficile d'affirmer qu'ils s'inscrivaient dans un programme plus large. Toutefois on connaît,

Chapiteau historié
du chœur.
Le sacrifice d'Isaac.
Face gauche :
la découverte du bélier.

Chapiteau historié
du chœur.
Le sacrifice d'Isaac.
Face droite :
Abraham et Isaac
sacrifient le bélier.

grâce à quelques dessins, l'existence d'un chapiteau représentant la Visitation, situé jadis à l'extrémité occidentale des grandes arcades du chœur, côté sud, remplacé par une copie lors des restaurations de Libersac au XIXe siècle.

• *Les chapiteaux du Maître des miracles de saint Benoît*

- Les miracles de saint Benoît

Les chapiteaux des miracles de saint Benoît révèlent un tout autre style et une tout autre approche de l'œuvre. L'intensité dramatique, l'agitation des personnages, la violence des gestes, cèdent la place à une grande sérénité. Les gestes sont calmes et solennels, les attitudes expriment une profonde spiritualité. Le relief peu saillant, le modelé plus doux et les drapés fluides participent à ce nouveau mode d'expression. Les visages sont caractéristiques et se répètent d'un chapiteau à l'autre : front couvert par les cheveux, mâchoire carrée assez proéminente, nez dessinant un large triangle, arcades sourcilières fortement soulignées et grands yeux percés d'un coup de trépan.

Ces étranges figures paraissent à Éliane Vergnolle « stylistiquement anachroniques » (*Saint-Benoît-sur-Loire et la sculpture du XIe siècle*, p. 250). Elles évoquent davantage les arts précieux ottoniens que la sculpture romane du dernier tiers du XIe siècle. Éliane Vergnolle soulève l'hypothèse judicieuse d'un sculpteur qui aurait puisé son inspiration dans le décor de la châsse d'Abbon. À la fin du Xe siècle, en effet, cet abbé avait fait orner la châsse du saint de scènes représentant ses miracles : *sed et paries ligneus, circa tumulum inclyti confessoris Christi Benedicti locatus, simili est comptus specie metalli, atque in eo quaedam miraculorum ejusdem dilecti Domini, caelatoria arte, perspiciuntur expressa* (*Vita Abbonis*, Migne, Patr. lat, t. 139, col. 406). La châsse d'Abbon fut remplacée par une nouvelle châsse à l'occasion de la reconstruction du chevet (*Miracula,* livre VIII, chapitre XXV) et les chapiteaux placés dans le nouveau sanctuaire auraient peut-être perpétué son souvenir.

Six chapiteaux sur sept consacrés aux miracles de saint Benoît sont placés symétriquement. Deux se situent à l'entrée de la croisée du transept et surmontent les colonnes engagées laissées en attente pour la construction de la nef ; quatre se trouvent à la retombée des arcs doubleaux du faux-transept, encadrant ainsi la travée reliquaire ; enfin, le septième orne l'entrée de l'absidiole septentrionale du bras nord du transept. Un huitième miracle figurait peut-être symétriquement dans le bras sud où tous les chapiteaux ont, hélas, disparu. Ce programme hagiographique se trouvait complété par les chapiteaux de la croisée du transept.

Les deux chapiteaux à l'entrée du transept, recevant les grandes arcades de la

Chapiteau historié de la croisée du transept, côté nord.
La tentation de saint Benoît.

Chapiteau historié de la croisée du transept, côté nord.
Saint Benoît se roule dans les épines pour surmonter la tentation.

première travée de la nef, représentent deux scènes concernant la personne même de saint Benoît. Côté nord, le chapiteau figure la tentation de saint Benoît (*Dialogues de saint Grégoire*, II, chapitre 2). Sur la face latérale gauche, saint Benoît est assis et médite, un oiseau pique sur lui : *Un jour le tentateur se présenta à lui. Un petit oiseau noir, un merle, se mit à voleter autour de son visage avec tant d'importunité que le saint homme aurait pu le prendre dans sa main, s'il l'avait voulu; mais il fit un signe de croix et l'oiseau s'en alla.* Sur la face principale le diable lui amène une femme qui *alluma dans son cœur une telle passion, que vaincu par la volupté, il était près de quitter le désert.* Cependant, sur la face droite, le saint est rendu à lui-même par la grâce divine (la main de Dieu sort des nuées), il quitte ses vêtements et se roule dans les orties et les ronces pour éteindre les plaies de sa chair et les plaies de sa pensée. *Ainsi, ayant converti sa volupté en douleur... par le châtiment d'une bonne brûlure de l'épiderme, il éteignit ce qui brûlait illicitement dans son âme. Il triompha donc du péché en changeant la nature de l'incendie; et à partir de ce moment là, comme il le confiait plus tard à ses disciples, les désirs de la chair furent en lui si bien domptés que jamais plus il ne ressentit en soi rien de semblable...*

Du côté sud, le chapiteau raconte l'histoire de la cloche brisée par le diable. *Benoît gagna un lieu désert qu'on appelle Subiaco, à quarante milles de la ville de Rome, et se fixa dans une grotte très étroite où il demeura trois années, ignoré des hommes sauf d'un moine nommé Romain. Celui-ci vivait dans un monastère non loin de là. Discret et secourable, il aidait Benoît de son mieux, lui portant à jours fixes le pain qu'il pouvait soustraire de sa propre ration. Mais, de son monastère à la grotte il n'y avait pas de chemin car celle-ci était surplombée par un rocher très élevé. Romain avait donc l'habitude de faire descendre le pain lié au bout d'une corde à laquelle il avait ajouté une petite clochette pour que, en entendant le son, l'homme de Dieu pût savoir le moment où Romain lui envoyait son pain et sortir le prendre. Cependant l'antique ennemi, jaloux de la charité de l'un et du repas de l'autre, jeta une pierre et cassa la clochette* (*Dialogues de saint Grégoire*, II, ch. 1). Sur la face principale du chapiteau, on voit la montagne avec le roc à pic et Romain qui, de la cellule de son

Chapiteau historié de la croisée du transept, côté sud.
Vie de saint Benoît.
La cloche brisée par le diable.

Chapiteau historié de l'entrée du faux-transept, côté nord.
Vie de saint Benoît.
La résurrection de l'enfant. Saint Benoît en prière, le cadavre de l'enfant à ses pieds.

Chapiteau historié de l'entrée de l'abside, côté nord.
Vie de saint Benoît.
Le miracle de Placide sauvé de la noyade. Saint Benoît donne l'ordre à saint Maur d'aller chercher l'enfant.

Chapiteau historié de l'entrée de l'abside, côté nord.
Vie de saint Benoît.
Le miracle de Placide sauvé de la noyade. Saint Maur marche sur l'eau et tire l'enfant du lac.

monastère, tient la corde à laquelle la cloche est attachée. Sur la face latérale, le diable, représenté avec des grandes cornes, lance une grosse pierre qui brise la corde et la cloche.

Dans le sanctuaire, encadrant la travée reliquaire, on assiste, sur les chapiteaux, à des miracles, opérés par le saint sur d'autres personnes ou sur des objets. Du côté nord sont représentés la résurrection de l'enfant et Placide sauvé de la noyade, du côté sud, le miracle du crible et la rencontre avec le Goth Totila.

Sur le chapiteau de la résurrection de l'enfant, un paysan vêtu d'une tunique courte a amené au monastère le cadavre de son fils. Il supplie tant et tant le saint, représenté sur la face latérale avec ses compagnons, que celui-ci après une prière fervente obtient de Dieu, dont la main apparaît dans les nuées, la résurrection de l'enfant. *« Seigneur, supplia-t-il, ne considérez pas mes péchés, mais la foi de cet homme qui demande la résurrection de son fils, et rendez à ce petit être l'âme que vous en avez retirée »* (Dialogues de saint Grégoire, II, ch. 32).

Le second chapiteau du côté nord, relate le miracle de Placide sauvé de la noyade. *Un jour que le vénérable Benoît se tenait dans sa cellule, Placide, un des jeunes moines du saint homme, sortit pour aller au lac puiser de l'eau; mais en y plongeant sans précaution la cruche qu'il tenait, il perdit l'équilibre et tomba dans l'eau avec elle. Bientôt le courant l'entraîna et l'emporta loin du bord, à peu près à une portée de flèche. L'homme de Dieu, de l'intérieur de sa cellule, en eut tout de suite connaissance et se hâta d'appeler Maur: « Cours, cher frère Maur, car cet enfant qui était allé chercher de l'eau, a glissé dans le lac, et déjà le courant l'emporte fort loin ». Fait merveilleux et unique depuis l'apôtre Pierre: sur l'ordre de son Père, après avoir demandé et reçu la bénédiction, Maur se précipite; il court jusqu'à l'endroit où le flot avait entraîné l'enfant, se croyant sur la terre et marchant, de fait, sur les eaux. Il le saisit par les cheveux et regagne la rive en toute hâte* (Dialogues de saint Grégoire, II, ch. 7). Sur la face gauche du chapiteau, saint Benoît qui vient de voir que le jeune moine était tombé dans l'eau, donne l'ordre à son disciple Maur d'aller le sauver, tandis que sur la face principale Maur écoute, le visage et

le haut du buste tournés vers le saint, mais les jambes déjà dirigées vers le fleuve, prêt à obéir à l'ordre. À droite, pensant qu'il marchait sur la terre, il marche sur l'eau et se penche vers l'enfant (qui tient toujours la cruche) en le saisissant par une main et par les cheveux. Au-dessus, un ange tend le manteau de saint Benoît, selon ce que rapporte ensuite Placide : *Je voyais la mélote de l'Abbé au-dessus de ma tête.*

Au sud de cette travée reliquaire, le premier chapiteau est consacré au miracle du crible (*Dialogues de saint Grégoire*, II, ch. 1). En route pour le désert, Benoît et sa nourrice arrivent à Effide. La nourrice emprunta un crible pour nettoyer le froment, mais en le déposant sur une table, le crible tomba et se cassa en deux. Sur la face gauche, la nourrice éplorée est agenouillée devant la table d'où est tombé le crible qui gît à terre, brisé. À droite, *Benoît qui était bon et pieux, à la vue de sa nourrice tout en pleurs, ému de compassion, ramassa les deux morceaux du crible, les emporta avec lui à l'écart, et se mit à prier avec larmes. Quand il se releva de sa prière, il trouva près de lui l'instrument intact sans aucune trace de cassure.* Sur la face principale, la main de Dieu surgit des nuées et Benoît rend à sa nourrice le crible intact.

Faisant face à ce chapiteau, figure la rencontre de saint Benoît et du roi des Goths Totila, âme chargée de méfaits qui voulut éprouver saint Benoît en donnant à

**Chapiteau historié de l'entrée du faux-transept, côté sud.
Vie de saint Benoît.
Le miracle du crible brisé.
Face droite : saint Benoît en prière. Face centrale : saint Benoît rend le crible intact à sa nourrice.**

**Chapiteau historié de l'entrée du faux-transept, côté sud.
Vie de saint Benoît.
Le miracle du crible brisé.
Face gauche :
la nourrice devant le crible brisé.**

l'un de ses gardes ses vêtements royaux et en s'habillant lui-même en simple soldat. *Le roi Totila avait ouï dire que le saint homme possédait le don de prophétie. Il se dirigea vers son monastère, s'arrêta à quelque distance et fit annoncer son arrivée. On répondit immédiatement au roi qu'il pouvait venir. Mais lui, de nature déloyale, voulut vérifier si l'homme de Dieu avait réellement l'esprit de prophétie. À l'un de ses écuyers qui se nommait Riggo, il donna ses bottes, lui fit revêtir des habits royaux et lui ordonna d'aller trouver Benoît en se faisant passer pour le roi en personne. Il lui adjoignit, comme suite, les trois comtes Vulteric, Ruteric et Blidin, d'ordinaire plus spécialement attachés à son service; ceux-ci devaient l'entourer de manière à donner l'impression au serviteur de Dieu que c'était le roi Totila lui-même qu'il avait devant les yeux... Lors donc que Riggo, en costume d'apparat, accompagné d'une garde nombreuse, pénétra dans le monastère, l'homme de Dieu se tenait assis à une certaine distance. Le voyant arriver, dès qu'il put se faire entendre de lui, il s'écria: «Quitte, mon fils, quitte ce que tu portes: ce n'est pas à toi». Riggo tomba précipitamment à terre, épouvanté d'avoir osé se jouer d'un tel homme; et tous ceux qui s'étaient rendus avec lui auprès du serviteur de Dieu se jetèrent également contre le sol. Et, s'étant relevés, ils n'osèrent point s'approcher de lui plus avant; mais, revenus vers le roi, ils lui racontèrent en tremblant avec quelle promptitude leur feinte avait été déjouée.... Alors Totila vint personnellement trouver l'homme de Dieu; mais, quand de loin il l'aperçut assis, n'osant s'approcher, il se prosterna jusqu'à terre. Deux ou trois fois l'homme de Dieu lui dit: «Lève-toi!»; mais lui n'osait pas se relever en sa présence. Benoît, serviteur du Christ Jésus, daigna s'avancer lui-même vers le roi humilié, le releva, lui reprocha ses actions, et, en quelques paroles, lui prédit tout ce qui devait lui arriver: «Tu as fait beaucoup de mal, lui dit-il, tu en as beaucoup fait; abstiens-toi enfin de l'iniquité»* (Dialogues de saint Grégoire, II, ch. 14 et 15). De ce texte, le sculpteur de Saint-Benoît-sur-Loire retient surtout le moment où le roi, vaincu, se jette à terre et reçoit la monition du saint qui lui saisit la main droite pour le relever devant ses gardes regroupés sur la face droite du chapiteau, visiblement impressionnés par le saint homme.

Un septième chapiteau, situé à l'entrée de la chapelle septentrionale du bras nord du transept complète la série des miracles. Un Goth appelé Zalla faisait endurer à un paysan des sévices cruels et voulait le contraindre à lui donner son argent. Celui-ci déclara l'avoir confié au serviteur de Dieu, Benoît. *Zalla cessa donc de le torturer mais il lui lia les bras et le poussa devant son cheval pour qu'il le conduisît à l'homme de Dieu qui avait reçu ses biens. Le paysan, les bras ainsi liés, marchait devant, guidant Zalla jusqu'au monastère du saint homme. Celui-ci était assis devant sa porte, occupé à lire. Le paysan dit à Zalla qui le suivait menaçant: «Le voilà, celui dont je t'ai parlé, le Père Benoît». Alors Zalla en colère, et voulant terroriser Benoît à son tour, vociféra: «Debout! Rends à ce paysan les biens*

Chapiteau historié de l'entrée de l'abside, côté sud.
Vie de saint Benoît.
Saint Benoît et Totila, le roi des Goths.

Chapiteau historié de l'entrée de la chapelle septentrionale du bras nord du transept.
Vie de saint Benoît.
Saint Benoît, le paysan et le goth Zalla.

que tu lui as pris!» À cette clameur, l'homme de Dieu leva les yeux vers Zalla puis sur le paysan qu'il tenait ligoté. Lorsque ses yeux s'arrêtèrent sur les bras du paysan, à l'instant tous les liens se défirent et l'homme se trouva subitement libre. Frappé de stupeur, Zalla tomba aux pieds de Benoît et se recommanda à sa prière. Benoît ne quitta pas sa lecture mais le confia à quelques frères et lui enjoignit de cesser ses folles cruautés. Soumis, Zalla se retira sans rien dire *(Dialogues de saint Grégoire,* II, ch. 31). Le sculpteur représente sur la face gauche, Benoît assis sur le seuil du monastère, un livre dans les mains. Au centre, le paysan debout, les bras levés, montre avec un geste triomphant, les liens brisés qui pendent à ses poignets. Zalla, l'épée au côté, est prosterné aux pieds de Benoît. Son cheval est représenté sur la face droite, attaché à un arbre où pend son bouclier.

- Les chapiteaux du Christ bénissant et de Daniel entre les lions.

Exécutés par le même sculpteur, deux autres grands chapiteaux situés dans le bras nord du transept, complètent le programme iconographique. L'un, dans la chapelle nord représente le Christ bénissant, l'autre, dans la chapelle sud, Daniel entre les lions.

Sur le premier chapiteau, le Christ est debout, la main droite levée, deux doigts repliés et sa main gauche tient un livre ouvert. De chaque côté de son nimbe figurent l'alpha et l'oméga. Autour de lui se tiennent plusieurs personnages surmontés d'une inscription livrant leur nom. Deux sont prosternés et lui saisissent les pieds. L'un est un homme : HVGO MILES, l'autre, une femme : ODA. Sur la face gauche, un moine reconnaissable à sa tonsure présente au Christ un livre ouvert : HVGO MO (nachus); il est suivi par un chevalier qui le tient par l'épaule : CLEOPHAS MILES. Sur la face droite, un cinquième personnage est accompagné d'une inscription plus énigmatique : PETRVS MILES : III (tres) FRS (fratres) RVIZ (Hugonis?) SCX (sancta Maria?) : HVGO M. GEO (Cleo?). Le moine Hugo, qui sur ce chapiteau offre un livre au Christ, va figurer à nouveau sur plusieurs chapiteaux de l'arcature aveugle et nous reviendrons sur ce personnage.

Chapiteau historié de l'entrée de la chapelle nord du bras nord du transept.
Le Christ bénissant avec, à ses pieds, les donateurs de l'église.

Le deuxième chapiteau est consacré à la représentation de Daniel entre les lions. Ce thème a été fréquemment représenté au XIe siècle pour ses possibilités ornementales ; Daniel est en général représenté sur la face principale tandis que les lions occupent les angles de la corbeille. À Saint-Benoît-sur-Loire, ce thème a été traité d'une manière fidèle au chapitre 14 de Daniel, qui n'existe qu'en grec, et le sculpteur, dans un souci de précision, a identifié les personnages par des inscriptions. Sur la face principale, Daniel est assis sur un trône dans la fosse aux lions figurée par un arc crénelé ; il tient sa main gauche levée. Cinq lions d'un côté (quatre seulement sont encore visibles), deux de l'autre, se tiennent à ses pieds. À droite, le roi de Babylone, Darius, couronné, donne l'ordre de jeter Daniel dans la fosse aux lions. À gauche, Habacuc, tenu à la taille par l'archange Gabriel, apporte la nourriture au condamné.

- Les chapiteaux
de l'arcature aveugle du chœur.

Le sculpteur des miracles de saint Benoît, du Christ bénissant, de Daniel entre les lions, est également l'auteur de la plupart des chapiteaux de l'arcature aveugle du sanctuaire. Sur les chapiteaux historiés, répartis sans cohérence évidente, on peut observer le même traitement des figures avec parfois cependant une animation plus proprement romane. Les thèmes historiés

Chapiteau historié de l'entrée de l'absidiole septentrionale du bras nord du transept. Daniel et les lions.

sont entrecoupés de chapiteaux ornementaux inspirés des œuvres des parties basses, décorés de protomes humains, de lutteurs, de scènes de chasse ou de cirque, mais toutefois sans la rigueur de composition qui caractérisait les sculptures des parties basses.

Tous les chapiteaux de cette arcature aveugle étaient destinés à être peints comme en témoignent, sur les chapiteaux déposés au musée, les traces de peinture. Les fonds étaient peints de couleur sombre et les personnages étaient traités en clair, ocre jaune ou rouge orangé.

Du Nord au Sud, en partant du transept, les chapiteaux les plus remarquables qui ornent cette arcature aveugle représentent :

une chasse.

Sur la face droite un chasseur sonne de l'olifant. Son chien est perché sur la croupe de son cheval. La face principale est occupée par un grand cerf tandis que des chiens situés sur la face gauche lui mordent la croupe et les postérieurs, près d'un chasseur qui bande son arc.

le Christ marchant sur les eaux.

... quant au bateau, il était déjà loin de la terre, à un grand nombre de stades, tourmenté par les vagues, car le vent était contraire. À la quatrième veille de la nuit, il vint vers eux, marchant sur la mer. Les disciples le voyant s'avancer sur la mer, furent troublés : «C'est un fantôme!» disaient-ils, et de peur ils crièrent. Mais aussitôt Jésus leur parla disant : «Courage! c'est moi, n'ayez pas peur». Pierre lui répondant, dit : «Seigneur, si c'est toi, ordonne que je vienne vers toi sur les eaux». Il dit : «Viens». Et, descendant du bateau, Pierre marcha sur les eaux et vint vers Jésus (Matthieu 14, 22-33). Le texte évangélique se trouve fort bien exprimé par la sculpture. À gauche, la barque avec les disciples apeurés se soulève sur les vagues. La voile est repliée sur le mât et un protome d'ange, à l'angle du chapiteau, souffle dans une corne vers le bateau. Pierre, sur la face principale, semble avancer péniblement dans les eaux, mais Jésus, sur la face droite, lui tend une main secourable. Le traitement des personnages est remarquable. Les attitudes agitées et expressives diffèrent des attitudes calmes et figées des chapiteaux des miracles de saint Benoît.

la Crucifixion.

Jésus sur la croix occupe toute la face principale. L'accent est mis sur sa tête se détachant sur un nimbe crucifère, presque aussi importante que le thorax. Au-dessus des bras de la croix, les bustes du soleil et de la lune, si souvent représentés dans le thème de la Crucifixion à l'époque romane, s'inscrivent dans deux médaillons. Sur la face gauche, la Vierge, éplorée soutient sa tête de la main gauche. Saint Jean, sur la face droite, adopte la même attitude. Les plis des robes de la Vierge et de saint Jean

Chapiteau historié du chœur, arcature aveugle. Scène de chasse.

Chapiteau historié du chœur, arcature aveugle. Le Christ marchant sur les eaux tend la main à Pierre.

Chapiteau historié
du chœur,
arcature aveugle.
La Crucifixion.

Chapiteau historié
du chœur,
arcature aveugle.
La Vierge et l'Enfant.

Chapiteau historié
du chœur,
arcature aveugle.
Scène de lutteurs.

qui se soulèvent «en cloche», comme mûs par le vent, contrastent avec la rigidité des plis des robes des personnages des miracles de saint Benoît.

la Vierge à l'Enfant.

Au centre de la face principale, la Vierge est assise sur un trône disposé sous une arcade portée par des colonnes torsadées. Elle maintient l'Enfant sur ses genoux de la main gauche et sa droite tend une fleur vers la face latérale du chapiteau. L'Enfant est tourné aussi vers la gauche et touche la main d'un moine agenouillé, accompagné d'un abbé, reconnaissable à la crosse qu'il tient à la main gauche. Sous l'arcade de la face droite, un personnage semble désigner d'une main la scène centrale tandis que de l'autre il porte un livre volumineux muni d'un large fermoir. Une aumônière pend à sa ceinture. Cette représentation énigmatique trouve une explication grâce à un chapiteau, situé du côté sud, représentant les mêmes personnages, mais fort heureusement accompagnés d'inscriptions.

scène de lutteurs.

Sur la face principale, deux hommes s'affrontent, armés de massues et protégés par des boucliers. Leurs pieds sont nus mais leurs jambes sont recouvertes de bas-de-chausses. Deux hommes luttent également sur la face droite du chapiteau, mais ils se battent aux poings et se tirent la barbe. Sur la face gauche, figurent deux curieux fagots de bois. Plusieurs auteurs ont fait appel aux *Miracula sancti Benedicti* pour tenter d'expliquer ces scènes. Certains y auraient même vu un projet de duel judiciaire pour régler un conflit se déroulant au IXe siècle à l'abbaye. Dom J.M. Berland (*Les chapiteaux historiés du faux triforium de l'église abbatiale de Saint-Benoît-sur-Loire,* p. 47) apporte une hypothèse plus crédible. Il s'agirait de combattants de jeux de cirque. Les lutteurs portent en effet une ceinture à boucle ronde placée dans le dos, et cette boucle «porte-deniers» est un signe distinctif des artistes de cirque. Ce thème a été fréquemment représenté à l'époque romane, particulièrement en Limousin.

figure féminine entre deux chevaux.

Les faces latérales ne portent qu'un décor de rinceaux tandis que sur la face principale une femme, les pieds posés sur un *scabellum,* est assise entre deux chevaux qu'elle tient par la bride. Traité ici d'une manière très ornementale, ce thème n'est peut-être qu'une réminiscence de la représentation de la déesse Epona, protectrice des chevaux.

un coq et des paysans.

La scène qui s'inscrit sur le chapiteau suivant est encore plus énigmatique et n'a point, jusqu'à présent, trouvé d'explication. La face gauche montre un personnage nu, de dos, accroupi, qui semble saisir le masque d'angle. La face principale est occupée par un grand coq et la face droite par deux paysans, l'un tenant un couteau, l'autre une cruche et des pains sous le bras.

le vielleux, l'âne jouant de la harpe et le montreur d'éléphant.

Les personnages sont situés sous une triple arcature semblable à celle du chapiteau de la Vierge à l'Enfant. Sous l'arcature de la face gauche, le vielleux, assis sur un siège de bois aux pieds tournés, son instrument appuyé contre son cou (la vielle est démesurée par rapport au personnage), joue en tenant son archet levé. Sous l'arcature de la face centrale, un âne joue de la harpe avec ses antérieurs. L'animal sem-

Chapiteau historié du chœur, arcature aveugle. Figure féminine entre deux chevaux.

Chapiteau historié du chœur, arcature aveugle. Grand coq et personnage nu accroupi.

ble satisfait et tire une longue langue qui laisse voir de grandes dents. Ce thème de fabliau a connu une grande faveur pendant la période romane, particulièrement au XIIe siècle où il a été représenté sur les voussures des portails des pays d'Ouest.

Enfin, sur la face droite se dresse un éléphant majestueux. Derrière lui se tient le montreur, mais, caché par la masse du pachyderme, on ne voit que sa tête. Quant à l'animal, sa représentation est peu réaliste. Le sculpteur dut le réaliser d'après son imagination ou d'après des modèles dessinés, aussi, l'a-t-il affublé d'une grande queue de félin et sa trompe sort de sa gueule comme une langue.

Daniel entre les lions.

Sur ce chapiteau déposé au musée de l'abbaye mais provenant de l'arcature aveugle, le thème de Daniel entre les lions est considérablement simplifié, réduit à sa valeur ornementale, contrairement au grand chapiteau de l'entrée de la chapelle septentrionale du bras nord du transept. Daniel, nimbé, est représenté en buste sur la face principale du chapiteau. Deux lions l'entourent et leur tête forme les masques d'angle de la corbeille.

les saintes femmes au Tombeau.

Ce chapiteau, très mutilé, est également déposé au musée lapidaire de l'abbaye. Il

Chapiteau historié du chœur, arcature aveugle. Joueur de vielle.

Chapiteau historié du chœur, arcature aveugle. Âne jouant de la harpe et montreur d'éléphant.

provient de l'arcature aveugle du sanctuaire, probablement de la partie tournante. Il illustre le thème du jeu liturgique de Pâques dont nous avons mentionné la coutume en étudiant la fonction de la tour-porche. Dom J.M. Berland (*Les chapiteaux historiés du faux-triforium de l'église abbatiale de Saint-Benoît-sur-Loire,* p. 53) nous rappelle le déroulement de ce jeu contenu dans les *Consuetudines* du XIIIe siècle : «Après Tierce, avant que commence la messe, deux diacres vêtus de dalmatique blanche, debout dans le sanctuaire près de l'autel et tournés vers le chœur, disent : *«quem quaeritis in sepulchro?»*. Alors, deux chantres vêtus de capes de fourrure, debout devant les degrés, répondent : *«Ihesum Nazarenum»*. Les diacres répondent : *«Non ess hic»*. Alors les deux chantres se tournent vers le chœur et disent : *«Alleluia surrexit Dominus»*. Et le chœur répond : *«Deo gratias»*. Puis, tandis qu'on sonne au clocher toutes les cloches, on commence au chœur la célébration solennelle de la messe».

Le tombeau est représenté sur la face principale, sous la forme d'une arcature au centre de laquelle pend une lampe. L'ange, malheureusement très abîmé, est assis sur un siège et occupe la face gauche. Sur la face droite, les trois Marie parviennent au tombeau. Deux figures sont encore bien visibles, la troisième est presque totalement bûchée. Elles tiennent de la main gauche le pot à aromates. Les visages des saintes expriment la douleur et leur attitude, une émotion contenue.

le roi David fait tuer l'Amalécite qui vient de lui annoncer la mort de Saül.

Sur la face gauche du chapiteau, un guerrier en cotte de mailles pointe sa lance vers la gorge de Saül. Le corps de ce dernier, situé à l'angle du chapiteau a été bûché et il ne subsiste plus que sa tête. Le roi David est figuré, debout, sur la face droite ; couronné, il porte son sceptre sur l'épaule droite et sa main gauche est levée pour donner l'ordre de tuer l'Amalécite. Celui-ci s'affaisse à l'angle du chapiteau, transpercé par la lance d'un guerrier qui occupe toute la face principale du chapiteau. Le mouvement de ce soldat est par-

Chapiteau historié du chœur, arcature aveugle (déposé au musée lapidaire). Détail : Les saintes femmes au tombeau.

Chapiteau historié du chœur, arcature aveugle. Mort de l'Amalécite, messager de la mort du roi Saül.

ticulièrement bien étudié, presque naturaliste, contrastant avec la rigidité raffinée des personnages généralement taillés par ce sculpteur.

Entrée du Christ à Jérusalem.

La face principale du chapiteau est réservée à la représentation du Christ monté sur un ânon, un très petit ânon puisque les pieds du Christ effleurent le sol. Sur la face droite est figurée la ville de Jérusalem, symbolisée par une porte surmontée de deux tourelles et d'un mur crénelé. Un personnage se précipite au-devant du Christ tandis qu'un autre, grimpé dans un arbre, cueille les palmes qu'il tend à un troisième personnage debout devant la porte de la ville. Les têtes des habitants de Jérusalem surgissent au-dessus du mur crénelé. Sur la face gauche, sont figurés les Apôtres, quatre sont debout et seules les têtes des huit autres apparaissent dans la partie supérieure de la corbeille.

les ours affrontés.

Ce chapiteau présente deux grands ours dressés, affrontés aux angles, les antérieurs dressés contre un arbre, sur la face principale. Deux personnages situés sur la face gauche semblent essayer de maîtriser l'un des ours en attrapant ses pattes et en saisissant son poitrail. Ce chapiteau offre donc deux aspects, l'un narratif évoquant le thème du montreur d'ours, l'autre ornemental grâce à la position des ours, dressés et affrontés aux angles.

une figure féminine et deux personnages.

Le thème de ce chapiteau a été identifié par dom J.M. Berland (*Les chapiteaux historiés du faux triforium de l'église abbatiale de Saint-Benoît-sur-Loire,* p. 56) comme étant celui de Suzanne et les vieillards. Sur la face principale du chapiteau est représentée une femme en buste, nue, dans une baignoire qui s'apparenterait plutôt à une barrique. Chaque face latérale est occupée par un personnage accroupi, au faciès peu engageant, vêtu d'une tunique courte comme les paysans.

Chapiteau historié du chœur, arcature aveugle. L'entrée du Christ à Jérusalem. Les Apôtres.

Chapiteau historié du chœur, arcature aveugle. L'entrée du Christ à Jérusalem. Le Christ.

Chapiteau historié du chœur, arcature aveugle. Ours affrontés.

le Christ foulant aux pieds l'aspic et le basilic.

Ce chapiteau, très mutilé sur sa face droite, illustre selon dom J.M. Berland (*Les chapiteaux historiés du faux triforium de l'église abbatiale de Saint-Benoît-sur-Loire,* p. 56-57), un verset du psaume 90 qui était chanté chaque soir à l'office de Complies dans la liturgie monastique : « Sur l'aspic et le basilic tu marcheras. Tu fouleras le lionceau et le dragon ».

Le Christ occupe la face principale du chapiteau ; il tient la croix processionnelle de la main gauche tandis que la droite bénit. Ses pieds sont posés sur le lion et le dragon ailé. Satan est représenté sur la face gauche avec un corps d'animal et un visage d'homme cornu.

Hugues de Sainte-Marie et saint Benoît.

Saint Benoît, identifié par l'inscription qui figure sur l'abaque, est présenté assis sur la face principale du chapiteau, tenant la crosse d'une main et de l'autre un livre fermé, sans doute la Règle. Quatre moines occupent la face gauche. Le premier tient une grande clef, le quatrième saisit la crosse que lui tend saint Benoît. Au-dessus de ce groupe, on lit l'inscription : HITERIVS (peut-être le nom du cellérier portant la clef) : HVGO DE S(an)C(ta) MA(ria) : S. BENE-DICTVS. À droite, un seigneur fait un geste d'offrande avec les deux mains jointes ; son compagnon tend la main droite et porte la

Chapiteau historié du chœur, arcature aveugle. Une femme dans son bain.

Chapiteau historié du chœur, arcature aveugle. Le Christ foulant aux pieds l'aspic et la basilic.

Chapiteau historié du chœur, arcature aveugle. Hugues de Sainte-Marie et saint Benoît. Face centrale : saint Benoît.

main gauche à son glaive. Au-dessus de cette scène, on lit : FR(atre)S HVGONIS. Ainsi, après le chapiteau du bras nord du transept où la famille d'Hugues présente une scène d'hommage au Christ, nous retrouvons Hugues, cette fois en compagnie de moines et de ses frères. Hugues de Sainte-Marie, moine de Fleury, tenait de son pays d'origine, la Normandie, le surnom de « Sainte-Marie », comme l'indiquent plusieurs manuscrits : *Hugo de sancta Maria, cognomunatur a quadam villula patris sui, in qua est sita aecclesia dei genetricis Marie*. Ce moine est l'auteur de plusieurs ouvrages historiques importants et du dernier chapitre des *Miracula* rédigé entre 1102 et 1119. Les connaissances sur ce personnage ne nous fournissent pas toutefois l'explication de la scène de ce chapiteau où saint Benoît semble lui tendre la crosse abbatiale. Dom J.M. Berland rappelle que Joscerand, abbé de Fleury, mourut en 1096 et que l'abbé Simon, son successeur, n'est attesté qu'en 1103, laissant suggérer une vacance abbatiale. Selon cet auteur, le monastère étant abbaye royale, la scène représentée sur le chapiteau pourrait être le témoignage d'une compétition entre le candidat du roi et celui de la communauté : Hugues de Sainte-Marie.

la Vierge à l'Enfant et Hugues de Sainte-Marie en donateur.

Nous retrouvons Hugues de Sainte-Marie sur le chapiteau suivant. Le thème est le même que celui du sixième chapiteau de l'arcature nord. Cependant, cette fois-ci, des inscriptions permettent d'identifier les personnages : MAT(er) D(ei), S.BENEDICTVS, HVGO. Hugues, présenté par saint Benoît, est agenouillé devant la Vierge à l'Enfant. Il lui offre un livre et reçoit en échange une fleur céleste. Seul, le personnage nimbé de la face latérale droite n'est pas identifié.

Samson terrassant le lion et Samson soulevant les portes de Gaza

Deux épisodes de la vie de Samson (Jg 14, 5-9 ; 16, 1-3) sont représentés sur ce chapiteau. Sur la face gauche, Samson, jeune et imberbe, chevauche le lion en maintenant son encolure d'une main et sa gueule de l'autre. La ville de Gaza occupe la face principale et, sur la face droite, Samson plus âgé et barbu, s'empare de la porte de la ville qu'il charge sur son épaule pour l'emmener jusqu'au sommet de la montagne. L'effort de Samson terrassant le lion, sa démarche alerte lorsqu'il charge les portes de Gaza, sont exprimés selon un rythme très roman, bien différent des attitudes statiques et figées généralement réalisées par ce sculpteur.

- L'identité du maître des miracles de saint Benoît

Le sculpteur des chapiteaux de l'arcature aveugle et des miracles de saint

Chapiteau historié du chœur, arcature aveugle. Hugues de Sainte-Marie et saint Benoît. Face gauche : Hugues et ses moines.

Chapiteau historié du chœur, arcature aveugle. Samson terrassant le lion.

Benoît a souvent été identifié à Hugues de Sainte-Marie, moine de Fleury, mentionné à partir de 1102 comme auteur de plusieurs ouvrages historiques importants et du dernier chapitre des *Miracula*. En effet, un certain Hugues figure à trois reprises parmi les chapiteaux : HVGO MO(nachus) à l'absidiole sud du bras nord du transept, HVGO DE S(an)C(t) A MA(ria) sur le chapiteau de l'arcature aveugle représentant saint Benoît, HVGO MO(nachus) sur l'un des deux chapiteaux de l'arcature aveugle représentant la Vierge à l'Enfant. Cependant, dans les trois scènes où Hugues est représenté, il apparaît davantage comme un donateur que comme un sculpteur. Sur le premier chapiteau, Hugues est accompagné de figures de donateurs, *milites,* il tient un livre ouvert et s'incline devant le Christ. Sur le deuxième chapiteau, Hugues, suivi d'un groupe de moines et de ses frères, *fratres,* se prosterne devant saint Benoît qui semble lui tendre la crosse. Enfin, sur le troisième chapiteau, Hugues présenté par saint Benoît s'agenouille devant la Vierge. Sculpteur ou donateur, Hugues était sans nul doute un personnage important pour que son nom soit ainsi figuré sur trois chapiteaux. Était-il issu de la classe des *milites* ainsi que le suggèrent l'épée que porte l'un de ses frères à la ceinture et les noms de plusieurs *milites* (*Cleophas miles, Hugo miles, Petrus miles*), probablement membres de sa famille ? Celle-ci participa peut-être au financement de la

Chapiteau historié du chœur, arcature aveugle. Samson soulevant et emportant les portes de Gaza.

Chapiteau historié du chœur, arcature aveugle. La Vierge et Hugues de Sainte-Marie. Face gauche : Hugues et ses moines.

Chapiteau historié du chœur, arcature aveugle. La Vierge et Hugues de Sainte-Marie. Face centrale : La Vierge et l'Enfant.

construction du chevet car le rôle joué par la petite noblesse dans ce domaine fut sans doute important. Fut-il pressenti comme abbé à la mort de Joscerand en 1096 ainsi que le suggèrerait le chapiteau où Hugues est représenté prosterné devant saint Benoît ? Rien ne permet de l'affirmer mais l'hypothèse est séduisante et n'exclut pas qu'il ait pu être aussi donateur.

Le déroulement des travaux

La campagne du chevet et du transept, commencée par l'abbé Guillaume (1067-1080), s'acheva en 1108 ainsi que nous l'apprend la *Chronique de Saint-Pierre-le-Vif de Sens*. Le retour des reliques dans le chœur eut lieu le 21 mars 1108, jour de la fête de saint Benoît. Cette campagne dura donc près de quarante ans et plusieurs abbés se succédèrent pendant cette période : Véran (1080-1085), Joscerand (1085-1096) et Simon qui activa la fin des travaux mais mourut quelques jours avant la cérémonie de consécration. Plusieurs récits des *Miracula* de Raoul Tortaire nous montrent l'église en construction, précieuses indications qui permettent d'avancer quelques hypothèses sur la marche des travaux. Le premier récit, en suivant l'ordre de Raoul Tortaire, relate un miracle qui intervint à Vitry-aux-Loges au cours d'une quête entreprise par le frère Gillebertus *(caementariis praefectus)* afin de financer les travaux de l'église de Fleury. Cette quête révèle peut-être des difficultés financières, vraisemblablement dans les années 1080-1090, puisque le récit suivant se situe en 1095. À cette date, Raoul Tortaire mentionne le terrible incendie qui ravagea le bourg de Fleury, épargna le monastère et l'église Sainte-Marie, alors inachevée et couverte de chaume *(... quod superius innovari coeptum diximus, quoniam adhuc imperfectum manebat, stipula tegebatur)*. Vient ensuite le récit de l'accident d'Otgerius, un ouvrier, tombant des échafaudages posés par les charpentiers « dans la partie droite de l'édifice » *(in dextra ipsius ecclesiae parte)*, pour dresser les cintres destinés à recevoir les voûtes. Au moment de cet accident, après l'incendie, on travaille donc aux voûtes, ce qui signifie que les murs sont déjà bâtis et les chapiteaux probablement en place. Cependant la présence de chapiteaux exécutés par un même artiste, situés dans différentes parties du chevet (grandes arcades prévues pour la nouvelle nef, absidioles du bras nord du transept, faux-transept et arcature aveugle du sanctuaire), pose encore le même problème de la marche des travaux. Dans les parties basses, les chapiteaux ornementaux se mêlent à ceux exécutés par le sculpteur des miracles de Saint-Benoît. Celui-ci s'impose ensuite aux chapiteaux de l'arcature, bientôt supplanté par de nouveaux artistes qui exécutent les chapiteaux des fenêtres hautes du chœur et du transept. On peut donc supposer que la marche des travaux s'est effectuée par tranches horizontales. Cette hypothèse se heurte cependant au problème de la sculpture de la croisée du transept qui apparaît comme la plus archaïque du nouvel édifice. La réalisation des chapiteaux du transept s'inscrirait alors au tout début des travaux ; la construction des piles aurait été nécessaire pour épauler les murs gouttereaux de la vieille nef carolingienne. Toutefois, mais cette hypothèse est peu probable, on peut également envisager que les plus belles sculptures furent réservées aux emplacements plus visibles ou plus nobles en laissant à la croisée du transept les chapiteaux les plus archaïques. Quelle que soit l'hypothèse retenue, il paraît raisonnable de situer l'exécution des chapiteaux du bras nord du transept, des parties basses du chœur, de l'arcature aveugle et de la travée du faux-transept autour de 1090-1095, ceux de la croisée du transept étant sans doute légèrement antérieurs. Après cette date, au moment de la construction des voûtes, le relais dut être pris par les sculpteurs des fenêtres hautes du chœur et du transept.

La diffusion de la sculpture du chevet et du transept

L'influence de la sculpture du chevet et du transept de Saint-Benoît-sur-Loire a

été prédominante en Berry. Elle ne s'est pas exercée en revanche, dans le Poitou, l'Anjou et la Touraine, comme la sculpture de la tour-porche. L'église de Lavardin en Vendômois qui mêle au répertoire de la tour-porche des éléments empruntés au maître des miracles de Saint-Benoît, est la seule exception.

En revanche, dans le Berry et les régions limitrophes, Bourbonnais, Nivernais et, dans une moindre mesure, la Bourgogne méridionale, le répertoire ornemental du chevet a connu une telle faveur qu'il est devenu caractéristique de cette sculpture régionale et a perduré jusqu'au second quart du XIIe siècle. À Neuvy-Saint-Sépulcre, Saint-Genou, La Berthenoux, La Celle-Bruère, Plaimpied, Preuilly-sur-Claise, Germigny-l'Exempt, Neuilly-en-Dun, on reconnaît les « collerettes berrichonnes », les chapiteaux à deux registres ornés de protomes encapuchonnés dans leur coque végétale, les lions affrontés ou les montreurs d'animaux. Toutefois, les chapiteaux historiés du chevet de Saint-Benoît-sur-Loire ne servirent pas de modèles aux sculpteurs du Berry et ne connurent qu'un écho très affaibli.

L'arcature aveugle du chœur, côté sud. Détail.

Nef latérale sud
vue de l'Ouest.

3. La nef de l'abbé Macaire

Après l'achèvement du chœur et du transept, les ressources financières du monastère se trouvèrent sans doute épuisées par tant d'efforts et les moines durent se contenter de garder l'ancienne nef carolingienne pendant encore quelques années.

Les travaux débutèrent vraisemblablement pendant l'abbatiat de Macaire (1144-1161), ancien moine de Cluny, prieur de Longpont, puis en 1140, abbé de Morigny. Au début de son abbatiat, Macaire dut se heurter à de sérieuses difficultés financières. En effet, une bulle du pape Eugène III, datée du 16 avril 1146, précise que son prédécesseur Adhémar II (1137-1144) «avait laissé décliner le monastère au spirituel comme au temporel». En outre, on sait que lorsque Macaire envisagea de rééedifier le dortoir en 1146, il fut contraint de vendre l'encensoir d'or de l'abbé Gauzlin. À la même époque, pour nourrir les affamés, il fit enlever la tunique d'argent d'un grand Christ, datant probablement du Xe siècle, puis, afin de payer la taxe imposée par le roi pour financer la croisade, il fit également fondre deux candélabres d'argent. Toutefois, en 1157, il obtint du roi Louis VII des privilèges pour contribuer à l'agrandissement de l'église. On connaît le nom des trois maîtres d'œuvre chargés des travaux d'édification de la nef : Adam, qui aura comme successeur Giraud puis Ranulfe.

On ne connaît pas, en revanche, la date de l'achèvement des travaux, mais la nef fut sans doute terminée avant la dédicace de l'église en 1218, bien que cette date soit généralement acceptée comme marquant la fin des travaux. On ignore également si l'incendie mentionné par Robert de Torigny, abbé du Mont-Saint-Michel, qui aurait eu lieu en 1179 ou en 1184 selon certains auteurs, atteignit l'église. La bulle du pape Urbain III (1185-1187) qui suivit, exhorte les évêques de Nevers et d'Auxerre, le chapitre de la cathédrale d'Orléans et tous les paroissiens, à contribuer aux réparations et interdit sous peine d'excommunication de percevoir des droits de péage sur le bois ou la pierre transportés, destinés à l'église et à ses dépendances. Selon dom J.M. Berland (*L'art roman tardif à Saint-Benoît-sur-Loire,* p. 151), cette bulle montre une église en plein chantier. Toutefois, à cette date, les travaux de la nef devaient être achevés ou très près de l'être. En effet, ils durent être menés assez rapidement car la construction présente une grande homogénéité et, il ne semble pas, compte tenu des caractères stylistiques, que l'on puisse envisager une date postérieure à 1175-1180.

1. une nef de transition entre art roman et art gothique

Le plan et l'élévation de cette nef sont simples et répondent aux impératifs créés par les parties romanes existantes de l'édifice. La nef se compose de sept travées qui relient le transept et le chevet romans à la tour-porche de l'abbé Gauzlin. Le vaisseau central est de même largeur que le chœur; il est doté de bas-côtés simples relativement étroits afin que les murs gouttereaux soient situés dans le prolongement des murs des collatéraux du chœur. Ce vaisseau est peu élevé (19 mètres) et ne comporte que deux niveaux : grandes arcades et fenêtres hautes. La réalisation d'un troisième niveau, tribunes ou ouvertures sous combles, aurait nécessité une hauteur plus importante qui aurait rompu l'harmonie de l'élévation romane.

La liaison de la nef avec les parties romanes dut poser des problèmes au maître d'œuvre gothique et les solutions qu'il trouva sont parfois maladroites. À l'Est, les piles et les chapiteaux laissés en attente, étaient destinés à recevoir des grandes arcades en plein cintre plus modestes que les grandes arcades gothiques, brisées, à double rouleau et de large section. Le maître d'œuvre fut donc obligé de faire déborder leurs retombées sur l'angle de la pile. Par ailleurs, dans les parties hautes de la première travée orientale, le mur montre de nombreuses ruptures d'assises à la jonction avec le mur roman et un léger désaxement de la baie vers l'Ouest.

**La nef.
Passage de la quatrième à la cinquième travée avec la modification de parti architectural.**

Du côté occidental, la construction des murs gouttereaux du vaisseau central a provoqué l'obturation des fenêtres des absidioles latérales de la tour-porche. À l'extérieur, un contrefort dissimule la liaison des murs des collatéraux de la nef avec la face orientale de la tour.

Dans cette nef gothique, le mur gouttereau du collatéral sud n'appartient sans doute pas à la campagne de l'abbé Macaire. Avant les destructions révolutionnaires, la galerie septentrionale du cloître roman s'y appuyait et, on pouvait voir jusqu'au XIXe siècle, l'épitaphe de l'abbé Véran, mort en 1086, incrustée dans le mur. Les travaux de restauration effectués vers 1850 ont considérablement bouleversé l'aspect du mur, et les parements modernes ne permettent plus une observation précise. Cependant, les parties basses, les moins touchées par les restaurations, semblent bien appartenir à la campagne de construction du chevet et du transept. À l'intérieur, le mur est renforcé par de grands arcs de décharge, probablement ajoutés par le maître d'œuvre gothique.

Lors de la construction de la nef, le maître d'œuvre a constamment associé les formules romanes et les nouvelles solutions gothiques. Ainsi, les grandes arcades et les fenêtres hautes s'ouvrent par des arcs brisés tandis que les baies des collatéraux présentent encore des ouvertures en plein cintre. De même, le vaisseau principal est couvert d'ogives quadripartites alors que les collatéraux sont voûtés d'arêtes. Cette association des arcs en plein cintre et des arcs brisés, des voûtes d'ogives et des voûtes d'arêtes, à l'intérieur du même édifice, s'observe très fréquemment durant la première génération du gothique, à Saint-Denis, à Saint-Germer-de-Fly et dans bien d'autres églises, et elle semblait alors probablement naturelle aux maîtres d'œuvre. En outre, la pile composée a été choisie comme support. Elle est encore romane par l'importance du noyau et le diamètre des colonnes engagées. À cette époque, on ne prévoyait pas encore des colonnettes supplémentaires correspondant à chaque retombée; ogives et doubleaux étaient reçus par la même colonne engagée. De même, les arcs formerets retombent sur de fines colonnettes portées par des culots ornés de masques ou de petits arcs évidés qui s'insèrent au niveau des tailloirs recevant les ogives et les doubleaux. L'utilisation des culots est une caractéristique des premières réalisations de l'architecture gothique où le principe de l'articulation rigoureuse entre les éléments structurels des parties hautes et des supports n'est pas appliqué avec rigueur.

L'extérieur de la nef reflète également les caractères du début de l'art gothique où domine la sobriété des lignes architecturales. Les poussées des voûtes sont contrebutées par des contreforts, à deux ressauts du côté nord, assez larges mais de faible saillie, qui se terminent en glacis. Les baies du collatéral nord sont en plein cintre et leur archivolte s'orne d'un tore retombant sur des chapiteaux à feuilles d'eau. Au sud, les baies ne comportent ni tores, ni colonnettes, ni chapiteaux, mais les restaurations du XIXe siècle ont tellement bouleversé le mur qu'il est difficile de dire si cet état est fidèle à celui du Moyen Age. Les fenêtres hautes, au nord comme au sud, sont dépourvues de décor dans les trois premières travées orientales ; en revanche, dans les travées suivantes, elles s'ornent d'une double archivolte soulignée par un mince tore qui se poursuit le long des piédroits. Enfin, sous le toit, une corniche sculptée d'un double cordon de pointes de diamant constitue l'une des rares concessions au souci de l'ornementation.

La marche des travaux dut s'effectuer d'Est en Ouest et malgré l'homogénéité de l'ensemble de la nef, on peut remarquer une légère modification du parti initial à partir de la quatrième travée, sensible au niveau des fenêtres hautes. Dans les trois premières travées orientales, en effet, les baies sont relativement étroites, les archivoltes sont soulignées par un décor de dents d'engrenage et les colonnettes baguées qui encadrent ces baies sont formées de tronçons maçonnés surmontés d'un fût monolithe ; les chapiteaux présentent un décor simple de feuilles engainantes. Enfin, la base des baies est soulignée par un

L'église.
Vue extérieure
du côté nord.

cordon mouluré qui ceint les colonnes engagées recevant les arcs doubleaux et les ogives. Dès la quatrième travée, ce cordon s'interrompt brutalement ; les baies reposant sur un haut glacis s'élargissent légèrement, de fines colonnettes maçonnées reçoivent des archivoltes sans décor, et leurs chapiteaux s'ornent d'embryons de crochets. À l'extérieur, on constate, outre l'élargissement des baies, un changement de modénature. L'ébrasement devient plus profond et la double archivolte est soulignée par un mince tore qui se poursuit sans interruption le long des piédroits. Selon plusieurs auteurs, ces modifications suggèreraient un changement de parti entre les collatéraux et les grandes arcades, déjà construits, et les parties hautes. Dans les trois premières travées, les fenêtres hautes auraient été prévues plus basses et le premier fût des colonnettes encadrant la baie indiquerait alors la hauteur primitive de la retombée de l'arc. Puis, en arrivant à la construction des parties hautes de la quatrième travée, la décision de voûter le vaisseau central sur croisée d'ogives aurait été prise. Il aurait alors fallu surélever les murs des travées déjà construites et agrandir les fenêtres en ajoutant un deuxième fût. Cette hypothèse paraît difficilement acceptable. Les voûtes d'ogives étaient prévues dès le début des travaux, la hauteur des baies également. La superposition des fûts, la présence de bagues sur les colonnettes,

La nef.
Voutes et fenêtres hautes à la hauteur des troisième et quatrième travées.

La nef.
Vue générale d'Ouest en Est.

le cordon mouluré, font partie des solutions courantes du premier art gothique. Cependant il est fort probable que le maître d'œuvre, parvenu à la quatrième travée, ait désiré élargir les baies et offrir des modénatures plus légères et plus en harmonie avec les formules utilisées à la même époque dans d'autres monuments.

Ce changement entre la troisième et la quatrième travée n'affecta pas le parti général, pas plus que les éléments principaux de la modénature. Ainsi, les tailloirs des chapiteaux sont tous composés d'un bandeau souligné par un tore et d'un cavet. Les ogives sont profilées en amande et se croisent sur des petites clés circulaires ornées de feuillage. Les bases des colonnes comportent deux tores séparés par une gorge et le tore inférieur, aplati, est relié au socle par des griffes. Dans les travées occidentales, ce tore inférieur légèrement plus plat et plus large que dans les autres travées, confirme une marche des travaux d'Est en Ouest.

2. le décor sculpté

 Les chapiteaux

Le décor des chapiteaux de la nef de Saint-Benoît-sur-Loire est révélateur d'une phase de recherches où les éléments encore romans côtoient ceux plus novateurs de la première génération du gothique. Malgré la diversité des motifs, feuilles d'eau, feuilles d'acanthe, sirènes, oiseaux, etc., l'uniformité du style entre les différents niveaux de l'élévation et entre les différentes travées prouve la rapidité d'exécution de cette campagne de travaux. Toutefois, comme pour l'architecture, on note une légère évolution entre les travées orientales et les travées occidentales, principalement au niveau des parties hautes.

Les chapiteaux à décor végétal occupent une place prépondérante dans cette nef comme d'ailleurs dans tous les édifices gothiques. Ils révèlent un goût presque exclusif pour la feuille lisse, bien qu'on puisse noter, surtout dans les travées orientales, la présence de quelques chapiteaux sculptés d'acanthes. Cette utilisation de la feuille lisse, dans des compositions très plastiques, ne correspond pas à un choix engendré par un souci de rapidité d'exécution ou d'économie mais traduit au contraire une réflexion sur le sens monumental de la simplification formelle, présente dans les monuments du premier art gothique d'Ile-de-France, tels que les chœurs de Saint-Denis, de Senlis, de Saint-Germer-de-Fly et de Sens.

Les variations sur le thème de la feuille lisse sont multiples, allant de la formule la plus simple à la plus compliquée. Certains chapiteaux présentent une seule rangée de feuilles droites, engainant la corbeille et se

Chapiteau de la nef à deux rangées de feuilles lisses engainant la corbeille.

Chapiteau de la nef à une rangée de feuilles lisses.

Chapiteau de la nef.
Décor végétal
de feuillage.
Feuilles lisses
imbriquées.

Chapiteau de la nef.
Décor dérivé
du corinthien
à feuilles d'acanthe.

Chapiteau de la nef.
Décor de feuilles
de fougère imbriquées.

recourbant sous l'abaque pour former des boules ou des bourgeons végétaux à l'emplacement des volutes. À côté de ce type relativement banal, il existe des solutions plus complexes, basées sur la superposition de plusieurs niveaux de feuilles qui s'emboîtent, s'imbriquent ou se chevauchent, parfois même se dédoublent. Parfois aussi, principalement sous la retombée des doubleaux des travées occidentales, l'extrémité des feuilles se détache nettement de la corbeille et donne naissance à des proliférations vigoureuses qui annoncent les crochets des périodes gothiques plus avancées.

Le répertoire végétal est complété par d'autres formules, feuilles d'acanthe, feuilles de fougère ou feuillage plus naturaliste évoquant la feuille de chêne. Il n'existe pas, en effet, de voie unique pour le décor sculpté au début de l'art gothique et il arrive bien souvent que la recherche de monumentalité cohabite avec la préciosité et le goût du détail raffiné.

Les chapiteaux portant un décor de feuilles d'acanthe se situent dans les parties basses des travées orientales. La vision codifiée du chapiteau corinthien (couronnes, feuilles engainantes, volutes, hélices et fleurs) est traitée ici avec une grande liberté. Le corinthien est interprété de manière à exprimer la vitalité et la beauté de la feuille d'acanthe : large, épanouie, les bords à peine repliés, les côtes richement ciselées ornées de petits trous de trépan comme un galon précieux. Toutefois, certaines corbeilles, exécutées sans doute par un sculpteur moins habile, sont traitées d'une manière plus sèche : de grandes feuilles côtelées, très étirées, adhèrent à la corbeille tandis que de maigres hélices et des volutes à peine saillantes garnissent la zone supérieure en ménageant de grandes plages nues.

Deux corbeilles des travées orientales sont ornées de feuilles de fougère imbriquées dont les nervures dessinent des arêtes saillantes. Ce type de décor végétal a connu une grande fortune dans les édifices cisterciens du Midi de la France, tels Flaran ou Grandselve.

Enfin, quelques corbeilles des parties hautes des deux dernières travées occiden-

tales offrent des feuillages finement sculptés évoquant, d'une manière encore très stylisée, les feuilles de chêne.

Parmi ces chapiteaux ornementaux où prédomine le décor végétal, cinq corbeilles offrent un décor figuré. Dans le collatéral sud, un petit chapiteau de fenêtre présente deux oiseaux affrontés sur un angle, la tête tournée vers l'arrière, la queue remontant vers l'angle supérieur, les ailes et le poitrail soulignés par un délicat galon perlé. Sur le dos de l'oiseau occupant la face principale, est perché un petit quadrupède. Trois aigles, qui s'apparentent aux oiseaux du chapiteau précédent, ornent le chapiteau de la colonne engagée de la deuxième travée du collatéral nord. Dans la travée suivante, ce sont des quadrupèdes qui occupent la corbeille. Enfin, recevant la grande arcade de la quatrième travée, au sud, deux chapiteaux offrent un remarquable décor.

Sur le premier, figure deux curieux personnages, mi-sirènes, mi-faunes, à tête humaine, au corps ailé couvert d'écailles et aux pattes d'équidés. Entre ces deux monstres, se dressent des rameaux dont les tiges se tordent, identiques à ceux qui, sur le linteau du Portail Nord, séparent la scène de la découverte des reliques de celle de leur transport. Sur l'autre chapiteau quatre lions marchant sont saisis par des oiseaux, semblables à des aigles qui plantent leurs serres sur le dos des fauves et piquent leur bec dans leur cou. Un personnage dressé

Fenêtre du collatéral sud à hauteur de la quatrième travée de la nef.

La nef. Vue générale prise de la tribune de l'orgue.

sur la face principale serre dans ses bras la queue des oiseaux tandis que les angles sont occupés par des masques humains joufflus, aux cheveux frisés, très proches des visages des anges des voussures du portail nord. Ces éléments de comparaison laissent donc supposer que le sculpteur du Portail Nord œuvra également aux chapiteaux de la nef.

Chapiteau de la nef.
Quatrième travée,
côté sud.
Deux personnages
mi-sirènes, mi-faunes.

Chapiteau de la nef.
Quatrième travée,
côté sud.
Quatre lions marchant
saisis par quatre
oiseaux de proie.

Fenêtre du collatéral
sud à hauteur de la
cinquième travée
de la nef.

Portail Nord.
Vue générale
après restauration.

Le Portail Nord

Le portail s'ouvre dans la quatrième travée du collatéral nord de la nef. La parfaite liaison des assises avec le mur de la nef prouve qu'il faisait partie de la campagne entreprise par l'abbé Macaire.

Ce portail n'était pas destiné aux religieux puisque les bâtiments monastiques, du moins depuis la seconde moitié du XIe siècle, se trouvaient situés au Sud. Face à une porte et à un pont franchissant le fossé de fortification du monastère, il était sans nul doute le portail des fidèles, d'autant que l'entrée de la tour-porche à l'Ouest, était également en clôture.

Très mutilé, le portail a souffert du passage des huguenots en 1562. qui pillèrent et incendièrent le monastère. Le feu endommagea les statues-colonnes et fit éclater la pierre du linteau. Il fallut ultérieurement lancer un arc en anse de panier pour soutenir ce dernier. Au XVIIe siècle, le portail, inutilisé, fut condamné par les mauristes.

Le tympan représente le Christ en Majesté, assis sur un trône, tenant dans sa main gauche le livre ouvert. La main droite levée est très dégradée. Le Christ est entouré des quatre évangélistes disposés dans des lobes formés par les nuées bordant l'arc du tympan. Jean a un écritoire posé sur ses genoux, tandis que Matthieu, Marc

Portail Nord.
Tétramorphe autour du Christ : saint Jean.

Portail Nord.
Tétramorphe
autour du Christ :
saint Matthieu.

Portail Nord.
Tétramorphe
autour du Christ :
saint Luc.

Portail Nord.
Le Christ en majesté.

et Luc sont assis à leur pupitre. Matthieu et Jean, penchés sur leur ouvrage, semblent écrire sous la dictée du Christ. Marc et Luc reçoivent l'enseignement de leur symbole, le Lion et le Taureau ailés, et leur visage se tourne vers eux. Les attitudes des quatre personnages expriment une tension et une fébrilité intenses.

Le thème des évangélistes écrivant, inspirés par leur symbole, a été rarement représenté dans la sculpture romane ou gothique. Les tympans, comme celui du Portail Royal de Chartres, s'ornent, en général, du Christ en Majesté entouré uniquement des symboles des évangélistes. Le sculpteur de Saint-Benoît-sur-Loire, en choisissant ce thème particulier, fait référence à une tradition plus ancienne, puisée probablement dans les manuscrits carolingiens.

Le linteau est consacré au thème de la translation des reliques de saint Benoît, selon le récit du moine Adrevald rédigé dans la seconde moitié du IXe siècle: l'*Historia Translationis*. Après la destruction du monastère du Mont-Cassin par les Lombards en 580, les restes sacrés de saint Benoît et de sa sœur sainte Scholastique reposaient, abandonnés, sous les ruines. Mummolus, abbé de Fleury (632-663), eut alors l'idée de faire des reliques du saint, le trésor de son monastère. Il envoya au Mont-Cassin, une équipe de moines conduits par Aigulfe. En voyage, ils rencontrèrent des Manceaux, en quête, eux aussi, de

Portail Nord.
Linteau.
L'arrivée des reliques à Fleury.

Portail Nord.
Tétramorphe autour du Christ: saint Marc.

reliques, qui se joignirent à eux. Parvenus au sommet de la montagne, une vision révéla à Aigulfe l'emplacement de la tombe de saint Benoît.

Sur le linteau se déroulent trois scènes. À gauche est représentée l'invention des reliques. Cinq moines sont réunis autour du tombeau : l'un extrait les ossements et les place avec une agitation fébrile dans une panière que lui tend un autre moine ; deux autres s'émerveillent en regardant la scène tandis que le dernier, les mains jointes, les yeux tournés vers le ciel, semble rendre grâce. La deuxième scène relate le miracle qui survint à Fleury-le-Viel, au retour de l'expédition. Les Manceaux réclamaient les restes de sainte Scholastique dont les ossements avaient été mélangés à ceux de saint Benoît dans la panière. Les plus grands, supposés être ceux de saint Benoît furent mis dans une châsse et les plus petits, supposés être ceux de sa sœur, furent déposés dans un reliquaire plus petit. Afin de s'assurer de la conformité du partage, on plaça la grande châsse au contact d'un petit garçon mort qui recouvra la vie. De même, la seconde châsse, approchée d'une fillette défunte lui rendit la vie. Sur le linteau, le sculpteur a représenté les deux enfants, au-dessous des saintes châsses, se redressant sur leur lit de mort. Autour, sont rassemblés les moines, le visage empreint de gravité et d'admiration. La châsse de saint Benoît est en forme d'édifice rectangulaire coiffé d'un

Portail Nord.
Linteau.
L'invention des reliques
de saint Benoît.

toit à deux rampants, ornée de cabochons ronds, ovales ou rectangulaires, comme les châsses limousines ou mosanes et, peut-être, comme la châsse d'orfèvrerie décrite lors de la consécration du chevet en 1108. La châsse de sainte Scholastique, décorée elle aussi de cabochons, est en forme de croix grecque à quatre pignons et à tour centrale. La partie droite du linteau montre l'arrivée solennelle des reliques de saint Benoît à Fleury. Deux moines portent la châsse du saint sur leurs épaules et s'avancent d'un pas décidé vers les trois moines aux visages graves qui viennent à leur rencontre.

Les voussures du portail sont également sculptées. La voussure interne porte

Portail Nord.
Voussure interne :
Ange cériféraire.

Portail Nord.
Voussure externe :
Apôtre.

des anges thuriféraires et cériféraires dont les visages sont tournés vers le Christ du tympan. Ces figures ont dû être réalisées par deux sculpteurs différents. En effet, certaines têtes sont larges, joufflues et leurs cheveux épais sont réunis en grosses boucles crantées; d'autres, au contraire, montrent des visages très fins et des cheveux plus lisses. Néanmoins, ces anges sont tous d'une grande beauté, sculptés délicatement, avec un profond souci du détail : robe bordée d'orfroi, coiffure recherchée, encensoir richement ciselé. Dix apôtres nimbés, assis sur des sièges surmontés de dais, occupent la voussure externe. Le style est ici plus uniforme; les têtes barbues, les cheveux crantés, les vêtements aux plis souples et sinueux qui laissent deviner des corps rondelets, se répètent d'une figure à l'autre.

Les ébrasements du portail sont ornés de six statues-colonnes, malheureusement très dégradées et difficiles à identifier. On reconnaît cependant Abraham tenant par les cheveux Isaac, les mains liées. Ses pieds reposent sur un socle très abîmé, en forme d'animal, probablement un bélier. Le personnage lui faisant face pourrait être David car sur le socle figure, semble-t-il, une lyre. Ces statues-colonnes qui accueillaient les fidèles à l'entrée de l'église, devaient manifester l'unité de l'Ancienne et de la Nouvelle Alliance.

Les chapiteaux qui surmontent les

Portail Nord.
Voussure interne :
Ange thuriféraire.

Portail Nord.
Les statues-colonnes,
côté Est.

statues-colonnes, à droite, sont sculptés de trois niveaux de feuilles d'acanthe liées à leur base par un ruban torsadé semblable à celui qui orne un chapiteau corinthien de la nef. Sur un chapiteau, des petits oiseaux s'appuient sur le bord des feuilles. À gauche, les corbeilles sont ornées de feuilles lisses, engainantes, dont les extrémités se recourbent pour donner naissance à des bourgeons.

Si certains éléments de ce portail, tel le décor de perles et d'oves, de quatre feuilles et de pointes de diamant, qui court sur l'archivolte externe, appartiennent encore au vocabulaire roman, en revanche, les statues-colonnes des ébrasements et les statues qui ornent les voussures, s'inscrivent pleinement dans la nouvelle conception gothique du portail.

Stylistiquement, ce portail de Saint-Benoît-sur-Loire ne se rattache pas aux œuvres sévères et hiératiques du premier art gothique des années 1140-1150. L'intensité d'expression des sentiments, l'animation des personnages, la vivacité des mouvements, le goût pour les formes corporelles pleines et rondes, le jeu des drapés fluides où s'insinuent les courbes, appartiennent aux années 1160-1170. L'esprit est proche de celui du portail occidental de Senlis bien qu'il ne s'agisse pas du même sculpteur. Les statues-colonnes, tout particulièrement, expriment le même désir de se libérer du fût de la colonne, de dégager les têtes par de savantes torsions, de décoller les bras du torse et de donner un volume au corps. Enfin, les vêtements s'ordonnent en courbes et contre-courbes autour du corps et la robe d'Abraham forme un gros nœud sur sa hanche comme la robe du Christ au tympan de Senlis.

Le décor sculpté du portail de Saint-Benoît-sur-Loire s'inscrit donc dans le cadre des expériences réalisées durant la seconde moitié du XIIe siècle en Ile-de-France. On doit chronologiquement le situer après celui de Senlis, c'est-à-dire après 1165, probablement vers 1170-1180. Le tympan de Saint-Pierre-le-Moûtier avec lequel on a coutume de le comparer, bien qu'il n'en soit qu'une pâle copie, lui est sans doute postérieur d'une décade.

Portail Nord.
Statue-colonne :
Détail, Abraham
et Isaac.

Portail Nord.
Le revers du linteau :
Ébauche d'une tête
d'Apôtre.

Portail Nord.
Le revers du linteau :
Ébauche de la suite
d'Apôtres à droite
de la Vierge.

*Découverte récente
d'un linteau inachevé*

Au cours de la campagne de restauration du Portail Nord qui vient de s'achever, fut faite une découverte majeure. Afin de dégager le revers du tympan, le relief moderne représentant la Cène fut démonté. Il apparut alors, sur la face arrière du linteau, une ébauche de décor sculpté.

Sous des arcatures, on distingue au centre la Vierge en Majesté, tenant l'Enfant sur ses genoux, encadrée par des Apôtres, debout, au nombre de huit. Seul l'Apôtre de l'extrémité droite du linteau est entièrement sculpté. Revêtu d'un long vêtement aux plis tuyautés ou en virgules, sa facture est encore toute romane.

**Portail Nord.
Le revers du linteau :
Ébauche de la suite
d'Apôtres à gauche
de la Vierge.**

Portail Nord.
Le revers du linteau :
Ébauche d'une
Vierge à l'Enfant.

Portail Nord.
Le revers du linteau :
L'Enfant Jésus, détail.

Portail Nord.
Le revers du linteau :
Ébauche de deux Apôtres.

En revanche l'arcature, comportant une fine colonnette torsadée et des chapiteaux à feuilles imbriquées dont les extrémités se recourbent, appartient à une phase de transition entre l'art roman et l'art gothique. Cette arcature est surmontée d'architectures représentant des tours et des pignons. La Vierge en Majesté et deux autres apôtres sont seulement dé-grossis tandis que les autres figures sont à différents stades d'ébauche.

Il s'agissait donc d'un premier projet de linteau dont l'exécution peut se situer au milieu du XIIe siècle, au moment où débutait la construction de la nef. Sa facture archaïque l'apparente aux éléments d'un retable en pierre, conservés au musée lapidaire, datés du second quart du XIIe siècle. Ce linteau fut sans doute rapidement abandonné car «démodé», «trop roman» pour satisfaire aux exigences d'un premier art gothique s'implantant en Val de Loire.

Portail Nord.
Le revers du linteau :
Sculpture achevée :
Apôtre et colonne torsadée.

Vierge à l'Enfant
du XIVᵉ siècle :
Notre-Dame de Fleury.

Stalles du XVᵉ siècle.
L'Annonciation.

4. Le mobilier et le trésor de l'abbaye

 Le mobilier de l'église

Les guerres de religion et la Révolution ont, hélas, fait disparaître la plus grande partie du mobilier liturgique de l'abbaye. On ne peut que déplorer la disparition de la châsse de 1207, de celle de 1663, du jubé de 1508, du maître-autel commandé en 1521 au fondeur orléanais Jean Lescot et ... combien d'autres objets encore mentionnés dans les textes mais absents à nos yeux! Leur perte est irréparable, comme la perte d'une partie des archives, des livres et des manuscrits de la bibliothèque. Les quelques éléments qui nous restent nous consolent, fort heureusement, de ces disparitions.

Dans le chœur, on remarquera tout particulièrement un ensemble de stalles du XVe siècle, surmontées de hauts dossiers et de dais. L'abbé Bégon de Murat les avait fait exécuter en 1413 par un huchier d'Orléans. En 1963, une restauration habile a remis cet ensemble en valeur, révélant la grande qualité de l'œuvre. On admirera, du côté sud, une délicate Annonciation sculptée sur une jouée. Ces stalles sont fermées par une balustrade en bois servant de table de communion. Datant de 1637, elle fut un don du Cardinal de Richelieu, abbé commendataire de l'époque.

Près des stalles, du côté nord du chœur, se trouve le gisant du roi Philippe Ier, mort en 1108 à Melun. Il avait demandé à être enterré, non pas avec ses ancêtres à Saint-Denis, mais à Fleury, auprès de saint Benoît. Sa tombe, inviolée, fut retrouvée durant les fouilles de 1958, sous le dallage du sanctuaire. Le gisant exécuté au XIIIe siècle, sévèrement mutilé pendant la Révolution, a été restauré en 1830. Le roi est représenté, tête couronnée, un gant dans la main gauche, un chien à ses pieds. La dalle du gisant repose sur quatre lévriers dont deux seulement datent du XIIIe siècle.

Dans le bras nord du transept, une délicate Vierge à l'Enfant en albâtre, du XIVe siècle, Notre-Dame de Fleury, protège l'abbaye.

Enfin, dans la nef, au revers de la façade occidentale, une tribune du début du XVIIIe siècle porte un orgue provenant du jubé de la cathédrale d'Orléans, entièrement reconstruit en 1983. Il remplaçait le superbe instrument du XVIIIe siècle qui passait pour l'un des plus beaux de la Congrégation de Saint-Maur, donné à l'évêque d'Orléans après la Révolution.

Chœur, côté nord.
Gisant du roi de France Philippe Ier.

✤ *La châsse de Mumma*

Cette petite châsse mérovingienne, la pièce la plus précieuse du trésor de Fleury, a été trouvée en 1642, près de l'autel majeur. Elle est formée d'une âme de bois en forme de maison, recouverte de plaques de cuivre, ornées de figures exécutées au repoussé. Sur les deux versants du toit sont représentés des anges à mi-corps, les ailes repliées. Au centre, un ange armé d'une épée, représente sans doute l'archange saint Michel. Une face de la châsse est nue, tandis que l'autre est ornée de deux rangées d'étoiles et de croix pattées, circonscrites dans des rubans. Un orant très stylisé, sans bouche, est figuré sur un petit côté. Les deux pignons comportent des petits losanges ou des entrelacs.

Au revers de la châsse, la face nue porte une inscription : MVMMA. FIERI. IUSSIT. IN. AMORE. SCE. MARIE.ET.SCI.PETRI. Un certain nombre d'auteurs ont voulu identifier Mumma à Mummolus, deuxième abbé de Fleury au VIIe siècle, en voulant y lire MUMM.A (abbas). Le A n'étant pas séparé des autres lettres, cette hypothèse doit être rejetée. La dédicace à saint Pierre et sainte Marie confirme l'existence du culte de ces deux saints, titulaires respectifs des deux églises du monastère.

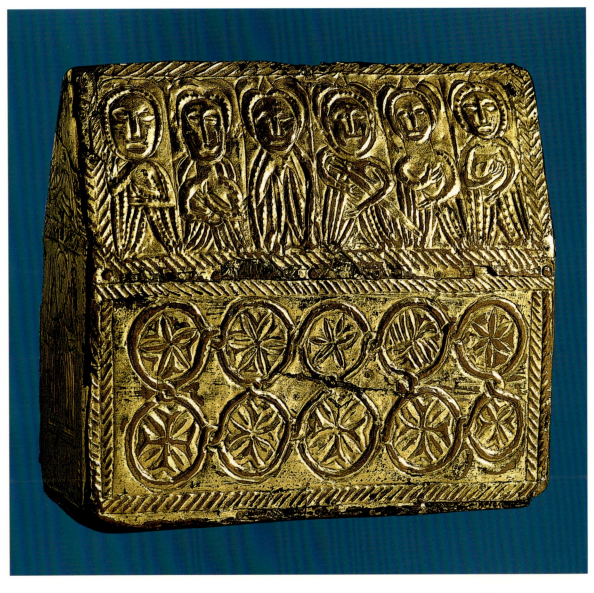

Trésor.
Châsse de Mumma.
Face ornée.

Trésor.
Châsse de Mumma.
Petit côté : orant.

Le Christ enseignant

Cette sculpture est présentée depuis 1976 au dépôt lapidaire de l'abbaye où elle voisine avec des chapiteaux déposés, en particulier ceux du transept, et de nombreux fragments de sculpture. Elle fut conservée jusqu'en 1959 à l'hôtel de la Madeleine et son origine est indéterminée. Le Christ est représenté debout devant une cathèdre stylisée, la main droite étendue, la main gauche tenant le livre ouvert. La tête nimbée est placée devant une croix pattée. Le corps est plat, décoré de motifs concentriques en forme d'amande. La taille en cuvette, le géométrisme des plis du vêtement grossièrement incisés, la stylisation de l'ensemble, en font une œuvre très archaïque difficile à dater. Une exécution antérieure à l'an mil paraît toutefois vraisemblable.

Une crosse abbatiale

Le dépôt renferme également une crosse trouvée en 1950 dans la partie haute d'un sarcophage coupé par la construction d'un mur du pignon sud du transept. La partie coudée, seule conservée et qui était fixée sans doute sur une hampe de bois, se termine par une tête de serpent. On date habituellement cette crosse du XIᵉ siècle.

**Trésor.
Crosse abbatiale
du XIᵉ siècle.**

Dépôt lapidaire.
Relief : le Christ
enseignant.

141

Max Jacob s'était retiré à Saint-Benoît-sur-Loire en 1921. Il y vécut jusqu'à son arrestation en 1944. Il avait trouvé la paix à l'ombre de la basilique et il y écrivit un livre... et ces belles lignes :

Pèlerins qui venez sur cette terre de Saint-Benoît-sur-Loire vénérer les reliques du Grand Homme, du Grand Saint, et vous, simple voyageur, qui aimez à revivre le passé devant ses monuments, on vous dira ici même la place qu'occupe dans l'histoire de France et du monde l'abbaye qui contint, dit-on, jusqu'à cinq mille élèves, mais, en foulant ce sol qui porte tant de souvenirs, n'oubliez pas de porter votre tribut à la mémoire des fils de saint Benoît qui représentèrent en des temps troublés l'esprit, la science, la foi, la vertu, en un mot la civilisation et d'ailleurs l'ont représentée en tout temps. Donner l'histoire abrégée de ce lieu sans indiquer même grossièrement ce qu'étaient ses habitants, c'était donner un squelette et non un corps. Et vous, archéologues, artistes qui appréciez la beauté de la basilique romane en admirant l'harmonie de ses lignes, songez à ce que pouvaient être les hommes qui bâtissaient des chefs d'œuvre avec tant d'humilité et qui joignaient à une foi dont on ne voit guère d'exemples aujourd'hui, un art qui n'a aujourd'hui absolument aucun rival.

(Max Jacob, *saint Benoît et l'abbaye de Fleury*, Visages et documents, Zodiaque, 1988, p. 32).

BIBLIOGRAPHIE

— M. Prou et A. Vidier, *Recueil des Chartes de l'abbaye de Saint-Benoît-sur-Loire,* Paris, Picard, 2 vol., 1907-1922.
— M. Aubert, *Saint-Benoît-sur-Loire, église abbatiale,* dans *Congrès archéologique de France, Orléans,* 1930, p. 569-656.
— Chanoine G. Chenesseau, *L'abbaye de Fleury à Saint-Benoît-sur-Loire,* Paris, 1931.
— Dom J.M. Berland, *Les fouilles de la basilique de Saint-Benoît-sur-Loire,* dans *Bull. Soc. arch. et hist. de l'Orléanais,* 1959-60, p. 102-107.
— A. Vidier, *L'historiographie à Saint-Benoît-sur-Loire et les miracles de saint Benoît,* Paris, Picard, 1965.
— Dom J.M. Berland, *Le pavement de Saint-Benoît-sur-Loire,* dans *Cahiers de Civilisation Médiévale,* Poitiers, 1968, p. 211-219.
— Dom Claude Jean-Nesmy, *Saint-Benoît-sur-Loire,* (1re éd., 1972), 3e édition, La Pierre-qui-Vire, 1995.
— Dom J.M. Berland, *Le problème de la datation du clocher-porche de Saint-Benoît-sur-Loire,* dans *Études ligériennes,* 1975, p. 45-60.
— P. Verdier, *La vie et les miracles de saint Benoît dans les sculptures de Saint-Benoît-sur-Loire,* dans *Mélanges de l'École française de Rome,* 1977, p. 117-153.
— Dom J.M. Berland, *Les chapiteaux historiés du faux triforium de l'église abbatiale de Saint-Benoît-sur-Loire,* dans *Cahiers de Saint-Michel de Cuxa,* 1980, p. 33-66.
— Dom J.M. Berland, *Val de Loire roman,* 3e éd., La Pierre-qui-Vire, Zodiaque, 1980, p. 21-110.
— Dom J.M. Berland, *L'art roman tardif à Saint-Benoît-sur-Loire,* dans *Cahiers de Saint-Michel de Cuxa,* 1984, p. 143-195.
— E. Vergnolle, *Inventaire du dépôt lapidaire de Saint-Benoît-sur-Loire,* dans *Bulletin archéologique,* fasc. 17-18, 1984, p. 40-114.
— E. Vergnolle, *Saint-Benoît-sur-Loire et la sculpture du XIe siècle,* Paris, Picard, 1985.
— E. Vergnolle, *Un carnet de l'an mil originaire de Saint-Benoît-sur-Loire,* dans *Arte Medievali,* II, 1985, p. 1-34.
— Max Jacob, *Saint Benoît et l'abbaye de Fleury,* Visages et documents 7, La Pierre-qui-Vire, Zodiaque, 1988.
— E. Vergnolle, *L'art roman en France,* Paris, Flammarion, 1994.

Les photographies de ce livre sont de Zodiaque,
sauf celles des pages 15, 32, 37, 47^1, 60^2, 64, 67, 68, 70 à 73,
76, 84, 85^1, 90^2, 91, 92^3, 93^1, 98$^{1\ \&\ 3}$, 100^1, 101, 102$^{1\ \&\ 2}$, 103^1,
110, 112 à 135, 137 et couvertures 1 et 4,
qui sont de Germain Plouvier, 12, rue Guyot, 89400 Laroche.
Les dessins sont du frère Noël Deney.
La maquette est de Jean-Charles et Pascale Rousseau et de Zodiaque.
La composition du texte, la sélection des planches
en noir et blanc et en couleurs,
ont été réalisées par les Ateliers de la Pierre-qui-Vire.
Photocomposition du texte par l'Abbaye N.-D. de Melleray
(c.c.s.o.m., Loire Atlantique).
Ce livre a été achevé d'imprimer en mai 1997
par l'Imprimerie du Centre à Orléans.
Reliure par la Nouvelle Reliure Industrielle à Auxerre.

Directeur-gérant : Jacques Collin

ISSN : 0995-2683
ISBN : 2-7369-0229-7 (1ère éd.)
ISBN : 2-7369-0233-5 (2e éd.)

Dépôt légal : 1513-06-97